D1639286

On achève bien les écoliers

DU MÊME AUTEUR

FRENCH VERTIGO, Grasset, 2006.

Peter Gumbel

On achève bien les écoliers

essai

BERNARD GRASSET
PARIS

www.onachevebienlesecoliers.fr
www.petergumbel.fr

ISBN : 978-2-246-75931-7

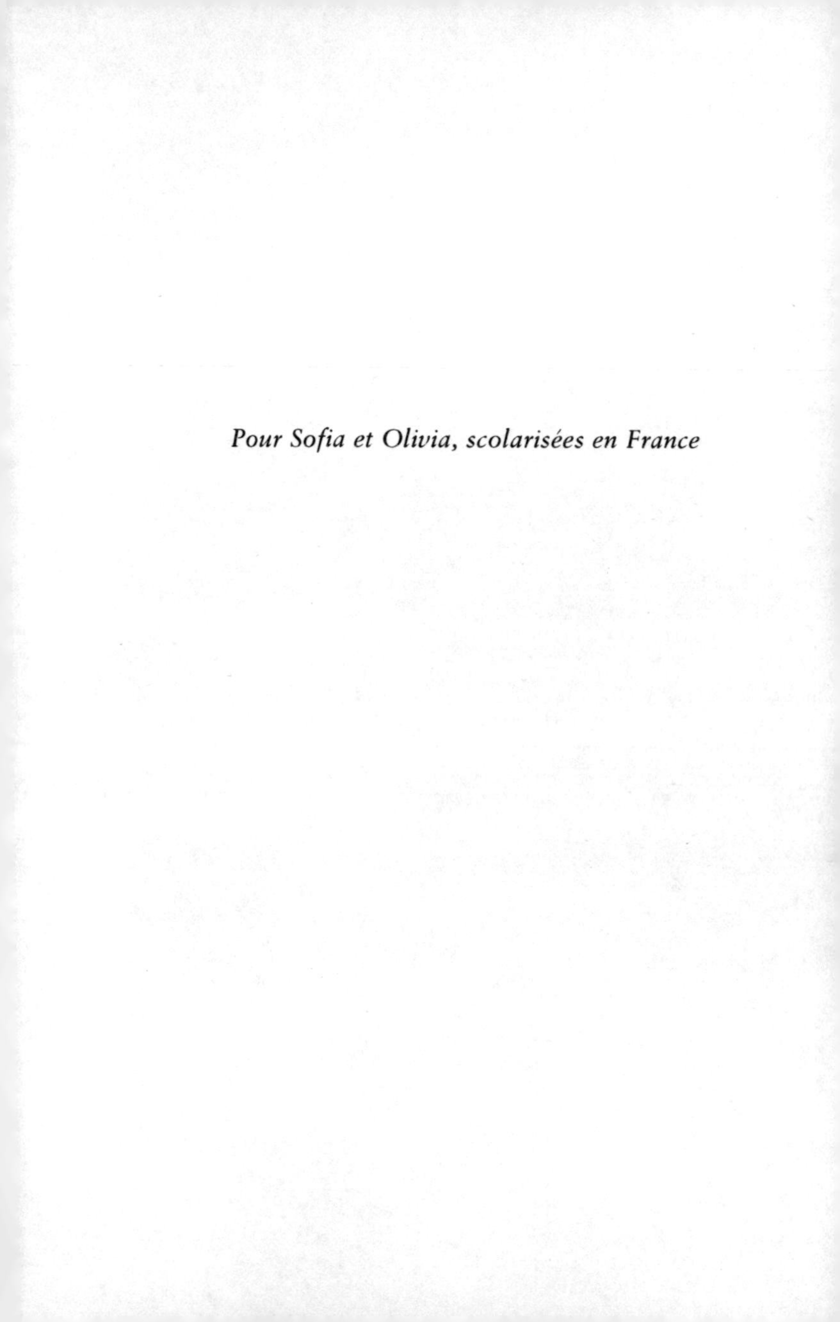

Pour Sofia et Olivia, scolarisées en France

Rien n'est plus difficile que de distinguer dans l'enfance la stupidité réelle, de cette apparente et trompeuse stupidité qui est l'annonce des âmes fortes.

JEAN-JACQUES ROUSSEAU,
Émile, ou De l'éducation

1

Le « French dream »

Les Français se moquent souvent des Américains et de leur « American dream », cette grande vision d'un pays dans lequel tout est possible et où les opportunités se rencontrent à chaque coin de rue. Mais la France a aussi son propre « French dream ». Il s'appelle l'école.

L'école est bien plus qu'un lieu où les enfants viennent apprendre ; dans l'Hexagone, elle incarne les valeurs les plus chères à la société. Il est impossible d'ignorer le sentiment de fierté nationale qui repose sur le fait que l'école est gratuite et laïque. Impossible aussi de ne pas être impressionné par l'idéal méritocratique selon lequel n'importe quel enfant issu de n'importe quel milieu, peut, en théorie, intégrer les plus hautes sphères de la société française en excellant à l'école. De la même manière qu'aux Etats-Unis on parle de l'Amérique comme d'une grande démocratie, en France on entend sans cesse parler d'éducation comme moteur de l'ascenseur social, comme le cœur de la nation.

« Entre toutes les nécessités du temps, entre tous les problèmes, j'en choisirai un auquel je consacrerai tout ce que j'ai d'intelligence, tout ce que j'ai d'âme, de cœur, de puissance physique et morale, c'est le problème de l'éducation du peuple », disait Jules Ferry, grand réformateur de l'éducation. Ses mots continuent de résonner aujourd'hui, 140 ans plus tard. Ce n'est pas par hasard si son nom est prononcé en France au moins aussi souvent que celui d'Abraham Lincoln aux Etats-Unis. Pas un hasard non plus si la France a une longue et brillante tradition de pionniers de l'éducation, de Jean-Jacques Rousseau et son œuvre classique *Emile, ou De l'éducation*, à Alfred Binet, l'inventeur des premiers tests de QI, en passant par Célestin Freinet, qui a inspiré le mouvement de l'Ecole moderne.

Comme il est étonnant alors, de constater à quel point la réalité des écoles françaises aujourd'hui est éloignée de ces nobles idéaux. Bien sûr, la vie n'a pas toujours l'élan positif qui traverse *Les Choristes* ou *Le Cercle des poètes disparus*. Toujours est-il que le système actuel d'éducation non seulement ne correspond pas à son image idéale, mais n'atteint pas non plus le même niveau de résultats que dans une grande partie de l'Europe et du monde développé.

Comment est-il possible que quatre écoliers sur dix sortent du CM2 avec de graves lacunes en lecture, écriture et calcul ? Que 130 000 jeunes quittent l'école chaque année sans diplôme ni qualification ? Que, dans un pays obsédé par la notion d'égalité, les jeunes dont les parents sont travailleurs indépendants, cadres, enseignants ou issus des professions intermédiaires, aient deux fois plus de chance d'accéder à l'enseignement supérieur que les enfants d'ouvriers et d'employés ? Que, malgré toutes les discussions sur la nécessité d'excellence et l'accent mis sur la formation des élites, la moyenne des jeunes Français n'obtienne que des scores médiocres lors de tests comparatifs internationaux. Que même en mathématiques, une discipline où la France a une réputation mondiale, les jeunes Français soient plutôt faibles comparés à des pays comme le Canada, l'Australie ou les Pays-Bas.

Il ne s'agit pas ici de questions nouvelles ; d'innombrables tentatives ont essayé d'y répondre. Allumez la télévision, ouvrez un journal ou entrez dans une librairie, et vous trouverez des centaines d'explications tentant de cerner le problème. Dans chaque pays que je connais, l'éducation est un sujet qui fâche, qui inquiète, qui préoccupe, mais il n'y a qu'en France qu'elle est une véritable obsession.

Trop souvent hélas, ce débat se réduit à une joute absurde, opposant des idéologies contraires, entre « républicains » et « pédagogues », entre ceux qui veulent mettre le savoir au cœur du système et ceux qui veulent y mettre les enfants.

Pour un observateur étranger, ce qui frappe en France dans ce débat, c'est son caractère conflictuel, et sa déconnexion de la réalité du terrain. Trop souvent, cela s'apparente à une vulgaire bagarre dans une cour de récréation où l'objet pour lequel on se dispute n'a en réalité jamais existé.

Pourtant, vu de l'extérieur, il semblerait qu'il manque un élément central. Ce débat franco-français néglige ou ignore une caractéristique qui saute aux yeux de n'importe quel étranger qui découvre les écoles françaises : la dictature de la salle de classe. Une culture impitoyable et parfois humiliante, qui a sacralisé des évaluations mettant les élèves sous pression, tout en traitant sans ménagement la notion de motivation individuelle. Une culture de l'excellence, certes, mais qui enfonce aussi les élèves les plus faibles plutôt que de les aider à se relever. Une culture qui n'hésite pas à mettre 0 à une mauvaise copie, mais ne mettra jamais 20/20 à une excellente. Bref, une culture de la nullité, à l'opposé des grandioses promesses de la République. Effectivement, en France, on achève bien les écoliers.

C'est une culture que de nombreux étrangers qui ont une certaine idée de l'éducation à la française découvrent avec étonnement lorsqu'ils arrivent ici. Pour les Français, en revanche – et ceci est tout aussi surprenant –, tout cela semble aller de soi. Sans doute professeurs et parents ont-ils eux-mêmes expérimenté cette culture en grandissant et n'ont donc aucun scrupule à perpétuer la tradition avec leurs propres enfants. Les seuls Français qui semblent conscients de la dureté du système scolaire sont ceux qui ont vécu à l'étranger avec leurs enfants et ont fait l'expérience de cultures scolaires plus épanouissantes.

Comment ne pas tenir compte des changements spectaculaires intervenus ces quatre dernières décennies dans les méthodes d'enseignement ? Changements liés en partie à l'augmentation massive du nombre de jeunes poursuivant leurs études jusqu'à la fin du secondaire, et en partie au volume croissant de preuves scientifiques déterminant ce qui fonctionne et ne fonctionne pas dans une salle de classe.

Personne n'est parfait. L'éducation est un enjeu majeur pour tous les pays, et chacun d'entre eux se bat pour savoir comment l'améliorer. De cette bataille a émergé un certain nombre de pratiques provenant des quatre coins du monde, pratiques qui se sont révélées efficaces, mais que les Français jusqu'à présent ont préféré ignorer.

Dans cet essai, après un premier constat de la situation en France, j'examinerai quelques-unes de ces leçons venues de l'étranger et, m'appuyant sur celles qui ont eu le plus de succès, je conclurai en proposant une série de pistes à suivre.

Tout en pensant que l'éducation française est trop négative dans ses positions, j'espère ne pas tomber moi-même dans ce piège de la négativité. Il y a énormément de bonnes choses dans le système éducatif français, notamment les normes et les attentes élevées que la société place en celui-ci. La réforme a longtemps été un gros mot au sein de la société française, tout en étant une obsession, et le fait d'introduire du changement, surtout lorsqu'il touche à l'éducation, est un processus lent et douloureux. Néanmoins, au cours de mes recherches, j'ai rencontré des réformateurs, conscients des problèmes et qui tentent de corriger la situation – pas toujours avec grand succès d'ailleurs. La deuxième partie de cet essai est consacrée à quelques-uns d'entre eux.

Enfin, un mot à propos des professeurs. Mon argument ne doit pas être interprété comme une attaque à leur égard. L'enseignement est un travail difficile, comme j'ai pu le constater lors de mon expérience avec de jeunes aspirants journalistes. Partout en France comme ailleurs il existe des professeurs extraordinaires qui inspirent et motivent leurs élèves, de mauvais professeurs, et une grande majorité qui est appliquée, consciencieuse, mais dont le travail n'est pas reconnu à sa juste valeur. Mes critiques ne concernent pas ces derniers. Bien au contraire : comme je le montrerai, les enseignants tiennent entre leurs mains la solution aux plus gros problèmes éducatifs de la France, à condition que ces professeurs soient bien formés et flexibles, plus autonomes, mieux payés et respectés. Malheureusement, le système éducatif français ne leur a pas permis d'évoluer avec leur temps. Il ne donne aux enseignants aucune marge de manœuvre, aucune responsabilité et aucun encouragement. Au risque de les achever, eux aussi.

2

Pygmalion à l'envers

Au printemps 1964, deux chercheurs américains débarquèrent dans une ville moyenne des Etats-Unis dans le but d'y conduire une fascinante expérience au sein d'une salle de classe. Robert Rosenthal et Lenore F. Jacobson cherchaient à comprendre la relation entre les résultats scolaires des enfants et l'attitude de leurs professeurs. Tout le monde apprécie les encouragements et les compliments. Mais quel impact peut réellement avoir une attitude positive et encourageante sur les capacités cognitives d'un enfant ? Si l'enseignant s'attend à ce qu'un enfant ait de bons résultats par exemple, cela aura-t-il des conséquences importantes sur sa réussite ?

Jacobson était institutrice à San Francisco, tandis que Rosenthal était éminent psychologue à Harvard. Pour leur expérience, ils choisirent une école primaire dans une ville comprenant une importante population mexicaine. Oak School, comme ils la nommèrent afin de garder l'anonymat, enregistrait de très faibles résultats scolaires. Un nombre disproportionné des mauvais étudiants était d'origine mexicaine.

A leur arrivée, les deux chercheurs testèrent le niveau de QI des 650 enfants. Ensuite, ils donnèrent aux enseignants une liste constituée de 20 % de noms d'enfants de chaque classe. Les élèves sur ces listes, expliquèrent-ils aux enseignants, étaient ceux dont les résultats aux tests montraient qu'ils se situaient parmi les meilleurs, ceux avec le plus fort potentiel. Les listes étaient purement informatives, dirent-ils, et en aucun cas les enseignants ne devaient discuter des résultats de ces tests avec les enfants ou leurs parents.

C'était une ruse. Les 20 % d'enfants qui constituaient l'échantillonnage avaient été choisis au hasard. Entre les enfants supposés capables de progresser intellectuellement et les autres, il n'y avait donc de différence que dans l'esprit des maîtres.

Rosenthal et Jacobson revinrent huit mois plus tard pour réaliser un second test d'intelligence sur tous les enfants. Les résultats furent spectaculaires. Les notes des élèves dont le nom figurait sur la liste grimpaient en flèche, bien plus que celles des élèves dont le nom ne s'y trouvait pas. Qu'ils soient mexicains ou blancs, filles ou garçons, cela ne faisait aucune différence. Les chercheurs en tirèrent la conclusion suivante :

Les résultats de l'expérience fournissent une nouvelle preuve que l'attente d'une personne à l'égard du comportement d'une autre peut se transformer en une prophétie à réalisation automatique. Quand les maîtres s'attendaient à ce que certains enfants montrent un plus grand développement intellectuel, ces enfants répondirent de fait à cette attente.

Le phénomène était si impressionnant que les deux chercheurs lui donnèrent un nom : « l'effet Pygmalion ». Ils publièrent leur étude sous la forme d'un livre en 1968, et son impact fut immédiat. Pygmalion est devenu l'un des cas d'étude les plus cités dans le champ de la psychologie de la motivation. Alors que certains critiques ont attaqué la méthodologie de Rosenthal et Jacobson, de nombreuses autres recherches ont confirmé leurs conclusions.

L'étude fut publiée en France par Casterman en 1971, intitulée *Pygmalion à l'école*. Toutefois, la leçon principale de cette expérience – la force des attentes positives – a été ignorée par le système éducatif français. En effet, celui-ci ressemble à une expérience vivante visant à démontrer le contraire de l'effet Pygmalion : jusqu'à quel point les attentes et les attitudes *négatives* peuvent aussi devenir une prophétie à réalisation automatique, freinant les enfants et affectant très probablement leurs performances scolaires. Soit on explique aux élèves qu'ils sont nuls, soit on fait en sorte qu'ils se sentent bons à rien, et ils finissent par le croire, et par se comporter en conséquence.

Ceci peut sembler être le diagnostic sévère d'un système qui s'est longtemps enorgueilli de son excellence. Mais il existe de nombreux symptômes confortant cette opinion.

Certains d'entre eux sont anecdotiques. L'une des grandes surprises à laquelle j'ai été confronté lors de mes recherches fut le nombre de connaissances et d'amis français qui m'ont raconté des histoires personnelles épouvantables. Tous les gens que je connais qui sont allés à l'école en France en ont gardé des cicatrices : comme ce brillant énarque qui continue de parler avec amertume d'un professeur de philosophie qui l'a humilié sans cesse ; cette fille de pasteur qui après s'être cassé le bras droit fut ridiculisée par un professeur parce qu'elle ne pouvait pas écrire correctement de la main gauche. Ou encore, l'exemple d'une copine qui parle un anglais irréprochable et a travaillé pour une chaîne de télévision américaine mais est encore parcourue de frissons lorsqu'elle se souvient de son professeur d'anglais qui prétendait qu'elle ne serait jamais bonne en langues. Trente ans après les faits, croisant dans la rue cette ancienne enseignante, aujourd'hui devenue une dame âgée, elle s'est mise à trembler de rage sans pouvoir se contrôler.

Il y a là matière à inspirer la littérature. Dans

ses mémoires *Chagrin d'école* (Gallimard, 2007), Daniel Pennac décrit brillamment ce qu'il ressentait en étant catalogué comme le cancre de service :

> *C'est un oignon qui entre dans la classe : quelques couches de chagrin, de peur, d'inquiétude, de rancœur, de colère, d'envies inassouvies, de renoncement furieux, accumulées sur fond de passé honteux, de présent menaçant, de futur condamné.*

La persistance et la force de telles anecdotes ont incité certains à aller plus loin dans la compréhension du phénomène. Pierre Merle, professeur à l'Institut universitaire de formation des maîtres de Bretagne, a demandé à 500 de ses étudiants de remplir un questionnaire sur leurs souvenirs d'école. Leurs réponses furent si frappantes qu'il en a tiré un livre, *L'Elève humilié* (PUF, 2005). Merle a été saisi par la violence des mots utilisés par les étudiants à propos de leurs professeurs. Ils se disaient « dégoûtés », « ridiculisés », « découragés », « cassés » par tel ou tel professeur jugé « désagréable », « méchant », « injuste », « humiliant ». La stigmatisation de l'incompétence scolaire de l'élève était particulièrement fréquente. Et Merle de constater :

> *Le chercheur ne peut être que frappé et troublé par l'ancienneté d'une partie des faits*

rapportés. L'insignifiance apparente de certains de ceux-ci s'oppose brutalement à leur persistance dans la mémoire de la population enquêtée.

Toutes ces histoires, bien que saisissantes et dérangeantes, ont une valeur limitée, dans la mesure où elles ne permettent pas vraiment de se forger une opinion générale sur la culture éducative à la française. Car pour chaque mauvaise expérience à l'école, mes amis reconnaissent qu'ils en aussi vécu de bonnes. Pennac nous livre 260 pages d'agonie avant de nous rassurer par ces mots : « Il suffit d'un professeur – un seul ! – pour nous sauver de nous-mêmes et nous faire oublier tous les autres. »

Toutefois, au cours de la dernière décennie, une profusion de nouvelles preuves est venue conforter mon idée que la culture éducative française est particulièrement cassante, comparée à celle des autres écoles dans le monde. Ces preuves sont à la fois plus sérieuses et moins subjectives qu'un grand nombre d'expériences anecdotiques individuelles. Elles s'appuient sur une série d'études internationales comparatives sur des écoliers. Elles nous éclairent non seulement sur les résultats des petits Français à ces tests mais aussi sur leur état d'esprit à l'école.

Les résultats sont accablants. Ils montrent que, comparés à d'autres enfants dans de nombreux pays en Europe, aux Etats-Unis et certains endroits en Asie, les enfants français sont dans l'ensemble plus anxieux et intimidés dans une salle de classe et davantage angoissés par la peur de l'échec. Ils manquent de confiance en eux, même lorsqu'ils connaissent leurs leçons, et éprouvent le sentiment que leurs professeurs ne les aident pas.

Une partie importante de ces preuves provient de sondages consacrés à l'éducation internationale, organisés par l'Organisation de coopération et de développement économique (OCDE). Son programme pour l'évaluation internationale des étudiants, plus connu sous son acronyme PISA, est devenu un point de référence pour les systèmes éducatifs à travers le monde. PISA est une enquête menée tous les trois ans auprès de jeunes de 15 ans dans les 31 pays membres de l'OCDE et dans de nombreux pays partenaires. Elle évalue l'acquisition des savoirs et du savoir-faire essentiels à la vie quotidienne au terme de la scolarité obligatoire. Les tests portent sur la lecture, la culture mathématique et la culture scientifique. Lors de chaque évaluation, un sujet est privilégié par rapport aux autres. Les premières collectes de données ont eu lieu en 2000, les suivantes en 2003, en 2006 et en 2009[1].

---

1. L'intégralité des résultats PISA peut être consultée à cette adresse : www.pisa.oecd.org

L'attention du public s'est focalisée sur les tableaux comparatifs montrant les résultats des élèves de chaque pays. Mais il ne s'agit là que d'une partie de ce travail. Il existe de nombreuses autres données, souvent négligées, concernant les méthodes nationales d'enseignement. Parmi les conclusions :

Les élèves français estiment que leurs professeurs ne les soutiennent pas

Déjà dans la première étude PISA en 2000, les élèves s'étaient vu poser une série de questions à propos de la vie scolaire. A quelle fréquence les enseignants disaient-ils aux élèves qu'ils pourraient mieux faire ? S'intéressaient-ils aux progrès des élèves ? Donnaient-ils l'occasion aux élèves d'exprimer leurs opinions ? Contrôlaient-ils leurs devoirs ?

Une grande tendance se dessine : les élèves français attribuent à leurs professeurs de moins bonnes notes que leurs pairs internationaux. Plus de 37 % ont affirmé que les professeurs ne leur donnaient que rarement ou jamais l'occasion d'exprimer leurs opinions, contre 31 % en moyenne dans les autres pays de l'OCDE. Presque 10 % ont déclaré « jamais » lorsqu'on leur a demandé :

« Le professeur continue-t-il à expliquer jusqu'à ce que les élèves aient compris ? » Seulement « parfois », déclarent 32 %.

Les séries de questions les plus éloquentes sont celles qui se concentrent sur l'encouragement de la part des enseignants ressenti par les élèves. Dans la plupart des pays, une majorité a donné des réponses fortement positives : oui, ils ont reçu un grand soutien, et ce, de manière fréquente. La France fait, elle, figure d'exception. Les élèves se sentent relativement abandonnés. Lorsqu'on leur demande : « Le professeur s'investit-il beaucoup pour aider les élèves ? », une bonne majorité d'élèves issus de pays de l'OCDE – 60 % – a répondu que cela se vérifiait « à chaque cours ou à la plupart des cours ». En France en revanche, la majorité est inversée. Seulement 47 % répondent que leurs professeurs les aident à chaque cours ou à la plupart des cours. Plus de la moitié répondent que leurs professeurs les ont aidés « parfois », ou « jamais ».

Un enseignant qui n'aide jamais un élève est une idée sidérante, une négation du concept même de pédagogie. Ce qui est surprenant et choquant, c'est le nombre d'élèves français qui, à cette question, ont coché la case « jamais » – et ont continué à cocher cette dernière tout au long du questionnaire. L'un des taux les plus importants concerne la question : « A quelle fréquence le professeur aide-t-il les élèves dans leur apprentissage ? » Plus de 16 % des jeunes Français répondent « jamais ». Aux Etats-Unis et en Finlande, ce chiffre est de 3,6 %. En Grande-Bretagne, il représente moins de 2 %.

Les jeunes Français sont champions de Ligue Anxiogène

La seconde étude PISA en 2003 s'est d'abord concentrée sur les mathématiques, qui sont, bien sûr, la matière la plus prestigieuse et la plus importante dans les écoles françaises. La France célèbre à juste titre ses prouesses et sa grande tradition d'excellence, initiée par Descartes, Fermat et Pascal. Cette tradition se perpétue de nos jours et fait l'objet d'une grande fierté. Lorsque la Fondation des sciences mathématiques de Paris a été créée en 2007, elle a déclaré, pleine d'enthousiasme : « Les mathématiques méritent d'être reconnues pour ce qu'elles sont : l'une des plus belles exceptions françaises. »

A l'école cependant, les jeunes Français n'excellent en mathématiques, par rapport à leurs pairs internationaux, que par un aspect : la terreur que leur inspire cette matière.

On a présenté aux élèves PISA la phrase suivante en leur demandant s'ils étaient d'accord avec elle : « Je m'inquiète souvent en pensant que j'aurai des difficultés en cours de mathématiques. » Dans des pays comme la Suède, le Danemark et les Pays-Bas, environ trois élèves sur dix ont répondu que c'était leur cas. En France, 61 % se sont déclarés d'accord avec cette phrase, soit deux fois plus. L'écart est aussi impressionnant pour la deuxième question : « Je suis très tendu(e) quand j'ai un devoir de mathématiques à faire. » Les jeunes Français sont deux fois plus nombreux à être d'accord avec cette phrase que la moyenne des 30 autres pays de l'OCDE.

C'est la dernière citation qui a obtenu le score le plus important de tous : « Je m'inquiète à l'idée d'avoir de mauvaises notes en mathématiques. » Les Français acquiescent avec un taux étonnant de 75 %. Soit bien au-dessus de la moyenne de l'OCDE, de 59 %, mais aussi plus que dans des pays en développement également testés – comme la Turquie et l'Indonésie, où le niveau de formation éducative est bien en deçà de celui de la France. Partout les élèves détestent recevoir de mauvaises notes, mais pourquoi les petits Français ne sont-ils pas plus confiants quant à leurs capacités en mathématiques ?

Les élèves français sont terrifiés à l'idée de faire des erreurs

Les deux premières séries de résultats auxquelles je fais référence sont directement issues des élèves. La troisième repose davantage sur une interprétation. Dans le premier sondage PISA en 2000, qui se concentrait sur la lecture et la compréhension, environ la moitié des questions était à choix multiples, tandis que l'autre moitié nécessitait des réponses construites. Par exemple, on a donné aux élèves deux textes polémiques sur le phénomène des graffitis. Après avoir répondu à des questions montrant qu'ils avaient compris les textes, les élèves devaient expliquer avec lequel des deux ils étaient le plus d'accord, et lequel était le mieux écrit, stylistiquement parlant. Là, soudain, apparut un phénomène intéressant : un nombre surprenant de cases laissées blanches, chez les jeunes Français.

Il est important de savoir que l'on avait expliqué aux élèves qu'une absence de réponse serait considérée comme une réponse erronée. Ils avaient donc tout intérêt à essayer d'écrire quelque chose, même s'ils n'avaient pas entièrement confiance en leur réponse. C'est ce que firent la plupart des enfants. Le taux de non-réponses dans des pays tels que le Canada, la Finlande et les Etats-Unis était d'environ 9 %. En France, c'était le double.

Ces statistiques étaient si frappantes que des spécialistes se sont interrogés à leur sujet. Un article datant de 2002 dans le magazine spécialisé *Futuribles* suggérait que ce fort taux de non-réponses pourrait être imputable aux méthodes françaises d'enseignement[1] :

> *Cela traduit-il un comportement particulier vis-à-vis de l'incertitude, une crainte d'être hors sujet ? Ou une véritable faiblesse à quitter les sentiers battus et à développer des réponses et des raisonnements originaux ? Ces comportements pourraient-ils être le produit d'une approche pédagogique plus magistrale, plus scolaire qu'en Finlande ou au Canada ?*

Deux experts du ministère de l'Education firent eux aussi cette remarque. Ils en arrivèrent à la conclusion que cela reflétait de la part des élèves français « une stratégie consistant à prendre le moins de risques possible[2] ». Dans un autre rapport datant de 2005, l'Inspection générale a tenté d'expliquer pourquoi[3] :

1. « Une évaluation internationale des acquis des élèves », *Futuribles* n° 279 (octobre 2002).
2. Isabelle Robin et Thierry Rocher, « La compétence en lecture des jeunes de 15 ans : une comparaison internationale ».
3. Rapport IGEN 2005-079, « Les acquis des élèves, pierre de touche de la valeur de l'école ? ».

Une des causes serait la prudence valorisée dans nos classes. A force de s'entendre répondre : « on ne parle pas pour ne rien dire » et « réfléchis avant de parler », l'élève peu sûr de lui préférera se taire plutôt que de s'exposer à un jugement négatif.

Les écoliers français pensent qu'ils sont nuls même lorsqu'ils sont bons

La quatrième série de statistiques est la plus inquiétante de toutes. Contrairement aux autres, elle n'est pas tirée de PISA, mais d'un sondage de 2006 réalisé auprès d'enfants âgés de dix ans par l'*International Association for the Evaluation of Educational Achievement*, une organisation qui fait du testing comparatif depuis plus de cinquante ans. Elle a testé des élèves dans 45 pays sur leurs capacités de lecture. Ce qui est encore plus intéressant, c'est que l'on a aussi demandé aux élèves ce qu'ils pensaient de leur niveau de lecture[1].

Est-il facile de lire ? Lisent-ils aussi bien que les autres enfants de la classe ? Comprennent-ils presque tout lorsqu'ils lisent seuls ?

1. « Progress in International Reading Literacy Study 2006 » (www.iea.nl).

De manière générale, le niveau de lecture des petits Français était acceptable. Leurs scores étaient au-dessus de la moyenne des pays sondés, bien qu'à la traîne de l'Allemagne, de l'Italie et des pays nordiques.

Voilà en ce qui concerne les capacités. Mais comment les enfants français ont-ils répondu lorsqu'on les a interrogés sur ce qu'ils *pensaient* de leur lecture : leurs réponses furent terriblement négatives. Une fois encore, apparaît clairement la preuve dérangeante de l'exception française. Les meilleurs lecteurs se placèrent 42e sur 45 sur la liste, juste devant l'Indonésie et l'Afrique du Sud, qui ont des taux importants d'illettrisme, et bien en dessous de pays comme le Maroc, le Koweït, Trinidad et Tobago, ou encore l'Iran, dont les élèves avaient obtenu de bien moins bons résultats au test de lecture. Les bons lecteurs français avaient même de meilleurs résultats que les bons lecteurs israéliens, qui eux se plaçaient en tête du classement visant à évaluer leur propre appréciation personnelle.

En d'autres termes, les petits Français âgés de dix ans lisent à peu près aussi bien que la plupart des Européens, mais considèrent qu'ils ont le même niveau de lecture que des enfants du tiers-monde.

*

Comment doit-on interpréter ces résultats ? Bien sûr, lorsqu'il s'agit de comparaisons internationales, il est impératif de prendre en compte les différences culturelles nationales. Les sondages d'opinion ont montré depuis longtemps que les adultes français sont plutôt pessimistes sur eux-mêmes, et sur le monde autour d'eux. Il n'est donc pas surprenant de découvrir que les jeunes Français partagent ce pessimisme. Nous savons cela aussi grâce à des sondages sans lien avec l'école. Par exemple, une enquête internationale réalisée par Kairos Future pour la Fondation pour l'innovation politique a découvert que seulement 26 % des jeunes Français avaient le sentiment de pouvoir choisir leur vie, contre 61 % aux Etats-Unis et 60 % au Danemark. Même la jeunesse chinoise arrivait davantage à se projeter positivement dans le futur (43 %)[1].

Il est possible, et même probable, que les étudiants français jugent leurs propres professeurs avec le même esprit de négativité dont ils sont eux-mêmes les victimes dans la salle de classe. En d'autres termes, à travers de tels sondages, ils prennent leur revanche en se montrant sévères vis-à-vis de leurs professeurs. Enfin, notons qu'il n'y a aucun pays dans le monde où les élèves descendent aussi souvent dans la rue pour manifes-

1. « Les jeunesses face à leur avenir », Fondation pour l'innovation politique (2008).

ter, et nulle part ailleurs des adolescents qui envisagent de bloquer leur collège ou leur lycée, encore moins qui y sont autorisés. L'école en France, bien plus que dans n'importe quel pays, est un lieu de lutte.

Pourtant, même en prenant en compte un sentiment de malaise national et une tendance à râler, les résultats de ces sondages internationaux sont dérangeants. Pourquoi un enfant de dix ans originaire de Neuilly-sur-Seine, qui est parfaitement capable de lire, considère-t-il que son niveau d'alphabétisation est aussi bas que celui d'un paysan indonésien ? Qu'est-ce qui rend un jeune de quinze ans stressé face à un devoir de maths au point d'en devenir presque cliniquement névrosé ? Pourquoi des adolescents choisiraient-ils de ne pas répondre à une question, alors qu'ils n'ont rien à perdre, et même tout à gagner ?

La réponse la plus évidente est que, si vous êtes sous pression à cause d'une autorité scolaire sans merci qui met constamment l'accent sur vos erreurs, cela affectera votre psychisme et votre comportement. Si l'on vous fait sentir que vous êtes nul, vous finirez par le croire, et vous vous comporterez en conséquence. Sachant que les élèves français ne sont ni encouragés à faire des maths, ni félicités pour leurs efforts, ni suffisamment aidés à surmonter les difficultés qu'ils rencontrent, il n'y a rien d'étonnant à ce qu'ils soient angoissés.

Dans l'Hexagone, les enjeux sont très élevés – les résultats en maths, après tout, sont le ticket d'entrée aux grandes écoles et à la réussite professionnelle – et la culture de la salle de classe impitoyable.

Je trouve le taux de non-réponses fort intéressant. Car la France est le seul pays où le « hors-sujet » soit perçu comme un péché capital, un acte d'extrême nullité automatiquement sanctionné – et même sévèrement – par des générations de profs. Ceci est grotesque. La rigueur et la discipline intellectuelles sont bien sûr importantes, mais l'imagination et l'expérience également. La réticence des jeunes Français ne serait-ce qu'à tenter de répondre à une question est symptomatique d'un système où les enfants ont été conditionnés à « la fermer » plutôt qu'à exprimer ce qu'ils pensent, par peur de se tromper. Ce système promeut l'effacement de soi, le conformisme et l'obéissance aveugle au détriment du sens de l'initiative et de la curiosité intellectuelle.

Le sondage Kairos Future 2008 a conforté cette impression. Les Français étaient les plus nombreux de tous les Européens à affirmer qu'il est « important de ne pas trop se faire remarquer ». Presque un Français sur quatre est d'accord sur ce point.

Bien sûr, la grande question est de savoir en quoi ces comportements timorés affectent les résultats des élèves français. En d'autres termes, tirent-ils profit, d'un point de vue académique, de cette culture scolaire à la dure, ou en souffrent-ils ?

On n'a pas mené en France des tests à grande échelle et de manière organisée comme l'étude de la Oak School. Pourtant il existe un nombre croissant de recherches internationales en psychologie de l'éducation qui montrent que la manière dont les étudiants se considèrent et l'assurance avec laquelle ils jugent leurs capacités, peuvent avoir un impact important sur leurs performances académiques. S'ils sont épanouis et heureux, il y a plus de chance qu'ils réussissent mieux. S'ils sont angoissés et manquent de confiance en eux, il est plus probable qu'ils fassent moins bien.

Barry Zimmerman, un professeur de psychologie de l'éducation à New York, a démontré que si les étudiants croient en leurs capacités, ils s'investissent davantage dans leur travail et en conséquence, réussissent souvent mieux. Ceci fait partie d'un processus appelé « autorégulation de l'apprentissage ». L'étude PISA centrée sur les mathématiques en a tiré des conclusions similaires : les élèves qui ont confiance en leurs capacités dans une matière et qui n'ont pas peur de s'attaquer à un problème, obtiennent de bons résultats aux tests. D'un autre côté, les élèves anxieux et qui manquent d'assurance obtiennent souvent de faibles résultats. En Finlande et aux Pays-Bas, par exemple, seuls 7 % des élèves affirment être très tendus lorsqu'ils ont un devoir de mathématiques à faire. Ce qui représente un niveau d'anxiété très faible, comparé à la plupart des pays. Dans le même temps, les élèves finlandais et néerlandais arrivent premiers et seconds, lorsque l'on effectue la moyenne des résultats pour ce test. Plus de la moitié des Français, en comparaison, se trouve dans un état de forte anxiété, et ils arrivent en 13e position, avec un score moyen nettement inférieur.

Il vaut la peine de se pencher d'un peu plus près sur les répartitions détaillées des performances dans les enquêtes PISA, puisqu'elles soulignent les forces, et plus spécialement les faiblesses du système scolaire français. Elles corroborent ma thèse sur l'impact destructeur de la culture scolaire.

PISA divise les résultats en six niveaux, allant de très faible à exceptionnel. Dans l'ensemble, la moyenne des résultats de la France est acceptable : à la plupart de ces tests, les Français se classent quelque part au milieu du groupe. Il est instructif d'analyser les différents niveaux individuels, notamment ceux se situant tout en haut, et ceux tout en bas.

Prenez l'étude PISA 2003 qui se focalise sur les mathématiques. La France, pays de matheux, compte seulement 3,5 % d'élèves qui atteignent le niveau 6, le plus haut niveau, autrement dit, celui des excellents élèves. En Suisse et aux Pays-Bas ce pourcentage est deux fois plus élevé. En Belgique, 9 % des élèves se situent dans le top ; au Japon et en Corée, ce pourcentage représente 8 %.

A l'autre extrémité, au niveau le plus bas, presque 17 % des élèves français obtiennent une moyenne de niveau 1, ou même en dessous, catégorie la plus basse. En d'autres termes, un jeune sur six dans ce pays obtient de mauvais résultats. Certains pays, dont la Turquie, le Mexique, la Grèce et l'Italie, font encore pire. Mais le pourcentage d'élèves médiocres est toujours plus élevé en France que dans des pays comme le Canada, l'Australie, l'Islande, ou encore mieux, la Finlande, avec moins de 7 % des élèves se situant à ce niveau.

Ces résultats ont été confirmés par l'étude PISA 2006, dont l'accent principal avait été mis sur la science. La tendance des résultats des jeunes Français se dessina d'une manière similaire : un sens de l'auto-efficacité inférieur à la moyenne et des résultats globalement faibles. Une fois encore, il n'y eut que de rares performances – juste 0,8 % au plus haut niveau, mais 21,1 % qui se situaient en bas du niveau 1 et en dessous de cela. Cette tendance – un pourcentage faible de personnes de très haut niveau et un pourcentage fort de résultats très faibles – se retrouve dans le tout premier test PISA de 2000, qui se concentrait sur la lecture. Il y a donc une grande cohérence entre ces conclusions.

Comment les expliquer ? Ici, nous touchons au cœur même des problèmes éducatifs de la France, véritable raison pour laquelle, selon moi, l'école est en crise. Ces statistiques révèlent une division fondamentale. D'un côté se trouve une minorité qui est capable d'obtenir de brillants résultats au plus haut niveau, et ce malgré le stress, la négativité, la compétitivité, les évaluations brutales – ou peut-être à cause de tout cela. Certains élèves se nourrissent de la pression, aiment être dirigés et sont encore plus exigeants avec eux-mêmes que le plus cassant des enseignants. Voilà l'élite, les jeunes qui ont toujours profité des vieilles méthodes de l'école française. C'est un groupe bien plus petit que dans de nombreux autres pays européens, mais qui obtient toujours de très bons résultats. Ce système est-il réellement adapté et au final bénéfique à ces élèves ? Ou bien pourraient-ils obtenir d'encore meilleurs résultats dans un environnement différent ? Voilà un problème que je discuterai dans un autre chapitre. Quoi qu'il en soit, ils sont indubitablement les stars.

Il y a ensuite la grande majorité des élèves moyens. Ceci relève du mystère. Pourquoi ne sont-ils pas plus nombreux à mieux réussir ? Après tout, leurs petits camarades dans bien d'autres pays comme les Pays-Bas et la Belgique en sont capables. Mais quelque chose semble les retenir. Si on les encourageait à mieux faire, si Jacobson et Rosenthal venaient visiter leurs écoles et donnaient aux enseignants une liste contenant leurs noms, est-ce qu'un plus grand nombre de ces élèves serait capable de passer de la médiocrité à l'excellence ? Voilà une question très intéressante, dont la réponse ne pourra être que spéculative – bien que je soupçonne qu'il pourrait s'agir d'un « Oui » retentissant !

Enfin, il y a ceux qui se trouvent au plus bas niveau de l'échelle, pour lesquels la culture n'est pas une aide pour parvenir à surmonter leurs difficultés mais un sévère handicap. Pour eux, le système scolaire français est une sorte de Pygmalion à l'envers. Leurs scores sont « nuls », parce qu'ils sont considérés et traités comme des nuls. Parfois, ce mode de traitement est explicite et fait partie du système. Parfois – comme c'est le cas dans l'étude de la Oak School –, il est inconscient et beaucoup plus difficile à déceler. Dans les deux cas, les conséquences sont graves. Car la nullité est devenue une « prophétie à réalisation automatique ».

3

« *Il faut que nous abandonnions cette mentalité* »

La culture d'une école qui casse ses élèves n'est pas une spécificité française. C'est une réalité qui a toujours existé, partout ailleurs.

Dans ses *Epîtres* (20 avant J.-C.), le poète Horace accusait son professeur de grammaire Lucius Orbilius Pupillus d'être un *plagosus*, « un donneur de coups ». Dans le bâtiment principal de la plus vieille école d'Angleterre, Winchester College, fondée en 1394, il est inscrit en latin la devise suivante : *Aut disce, aut discede. Manet sors tertia caedi.* « Apprends, ou va-t'en. Le troisième choix qui s'offre à toi est d'être battu. » En France, on dispose de brochures datant du XVIIIe siècle dénonçant « l'Orbilianisme », l'usage systématique du fouet à l'école.

Cette approche est démodée depuis au moins 300 ans. Dans son fameux traité de 1693, *Quelques pensées sur l'éducation*, le philosophe anglais

John Locke condamne le recours à la brutalité physique comme étant « la méthode d'éducation la plus inadaptée ». Deux siècles avant la naissance de la psychologie moderne, Locke fut l'un des premiers à affirmer l'importance de la motivation chez les enfants. Le grand art du professeur est de capter et de conserver l'attention de son élève, dit-il. Pour cela, il doit :

> *joindre beaucoup de douceur dans toutes les instructions ; il faut, par je ne sais quelle tendresse manifestée dans toute la conduite, faire comprendre à l'enfant qu'on l'aime, qu'on n'a en vue que son bien.*

Les mots de Locke eurent un écho important à travers toute l'Europe des Lumières, principalement en France, où des idées similaires avaient déjà commencé à circuler. « Il faut chercher tous les moyens de rendre agréables à l'enfant les choses que vous exigez de lui », écrivait François Fénelon dans *De l'éducation des filles* (1687). Quand il a fallu trouver la meilleure façon de mettre en pratique cette philosophie humaniste, les Français ont été souvent des pionniers en la matière. Jean-Jacques Rousseau en fut bien sûr le champion incontesté, avec son best-seller, l'*Emile, ou De l'éducation* (1762). A son tour, il contribua à engendrer une école de pédagogie française, avec des théoriciens célèbres mondialement reconnus, tels qu'Henri Marion et Ferdinand Buisson, ou encore Roger Cousinet, Célestin Freinet et Emile Durkheim. Grâce à ces penseurs, la France est devenue une pionnière dans le domaine de la pédagogie, et ce pendant plus de 150 ans, une période caractérisée par une intense effervescence intellectuelle en ce qui concerne la recherche sur les capacités cognitives des enfants et les meilleures manières de les développer.

Au cours de ces trois dernières décennies, il y eut un autre grand bond en avant dans le domaine des méthodes d'enseignement, mais cette fois-ci, la France y est apparue à la traîne. Cette évolution est liée à la démocratisation de l'enseignement secondaire. L'époque où une majorité d'adolescents quittait systématiquement l'école à l'âge de 14 ans pour aller travailler, est désormais révolue. A partir des années 1950, le nombre de jeunes qui poursuivaient leurs études jusqu'à la fin du second cycle a commencé de s'accroître. Dans tous les pays développés, la plupart des jeunes restent alors scolarisés jusqu'à l'âge de 17 ou 18 ans. La nouvelle philosophie consiste à dire que tout un chacun a droit à une bonne éducation, et il n'est désormais plus acceptable d'exclure des études un large pourcentage de la population, sous prétexte que « l'agriculture manque de bras ».

La France a commencé à opérer ce changement plus tardivement que de nombreux autres pays, mais a rattrapé son retard. Au début des années 1950, le pourcentage de la population française accédant au niveau du baccalauréat n'était que de 5 %. Ce pourcentage a augmenté progressivement, atteignant 34 % en 1980, puis il a fait un bond, à 71 % en 1994, grâce à l'introduction du bac professionnel en 1987. L'éducation secondaire française s'est donc transformée de manière spectaculaire en l'espace d'une génération.

Tous les pays qui ont connu un tel changement se trouvent face à un défi majeur. L'augmentation massive du nombre d'élèves qui restent à l'école ne crée pas seulement un problème matériel concernant les salles de classe et les professeurs ; cela requiert aussi un changement dans les mentalités et les méthodes d'enseignement. L'éducation n'étant plus réservée à une élite restreinte, les anciens critères de sélection doivent donc être révisés. En classe également, de nouvelles techniques sont désormais requises afin d'aider une population beaucoup plus large et plus hétérogène à atteindre un niveau acceptable.

Lorsque René Haby, le ministre de l'Education du Président Valéry Giscard d'Estaing, créa le collège unique au milieu des années 1970, il comprit qu'il ne s'agissait pas simplement de changer la structure des collèges. La culture d'enseignement elle-même devait aussi s'adapter au nouveau contexte. Interviewé par un journaliste de

TF1 le jour où sa réforme entra en vigueur, il expliqua que l'Education nationale :

avait l'habitude de classer les élèves en deux catégories : ceux qui suivaient – les bons élèves – et puis ceux qui ne suivaient pas, et qui sont rejetés à l'extérieur sans plus s'en préoccuper. Alors il faut que nous abandonnions cette mentalité[1].

La tâche nouvelle qui attendait alors les enseignants, disait-il, était de déterminer comment les élèves en difficulté pouvaient « malgré tout » acquérir des connaissances.

De nombreux autres pays ont revu leurs méthodes d'enseignement dans la perspective de porter une bien plus large proportion de jeunes à un niveau d'études élevé. Certains se concentrèrent sur des méthodes visant à aider les élèves les plus faibles à réussir, remontant ainsi du même coup le niveau général. D'autres trouvèrent des manières d'individualiser l'enseignement.

En France, 35 ans après la réforme Haby, le pays n'est toujours pas parvenu à accepter le nouveau monde qu'il espérait créer. Il y a certainement eu une évolution dans la théorie, mais le débat public demeure anachronique. L'idée

1. Interview du 7 septembre 1977. A consulter sur le site de l'INA, www.ina.fr.

même de collège unique continue d'être contestée par un cercle d'« experts » qui se sont forgé une réputation en l'attaquant dans leurs livres et dans les médias. Il est évident que la France n'a pas bien géré la transition vers cette nouvelle ère. De trop nombreux jeunes sont encore en grande difficulté et finissent par abandonner l'école. Les écoles se sont adaptées à la nouvelle hétérogénéité, en instituant notamment des filières de relégation plus ou moins déguisées. Toutefois, c'est une bien curieuse idée que de vouloir remonter le temps et ressusciter l'époque révolue de l'élitisme éducatif, comme le préconisent certains critiques. Cela reviendrait à tenter de lutter contre le réchauffement climatique en interdisant les voitures et en les remplaçant par des charrettes à cheval. Cela ne serait ni pratique, ni souhaitable.

Quant à ce qu'Haby désignait comme « cette mentalité », elle persiste aussi. Certes, il y a eu des avancées considérables et de nombreuses tentatives visant à introduire des changements. Toujours est-il que les écoles françaises continuent d'utiliser largement ce qu'Andreas Schleicher, à la tête de la direction de l'Education de l'OCDE, décrit comme « le mode industriel d'enseignement du XIXe siècle ».

Il s'agit d'un modèle extrêmement directif dans lequel le gouvernement décide du programme dans les moindres détails, depuis le nombre exact d'heures consacrées à chaque matière jusqu'à l'ordre précis dans lequel les connaissances doivent être acquises. Quels que soient leur formation et leur professionnalisme, les enseignants sont traités comme des ouvriers d'usine dont la fonction est d'appliquer le programme tel qu'il leur a été ordonné de le faire. Ils le font souvent de manière isolée, sans aucune aide ou presque, avec une formation quasi inexistante aux méthodes vraiment employées sur le terrain. Il n'y a donc rien de surprenant à ce que nombre d'enseignants réutilisent les mêmes méthodes que celles qu'ils ont connues enfants. C'est-à-dire une approche frontale, où l'enseignant est à la tête de la classe, transmettant les connaissances aux enfants qui les reçoivent et les mémorisent de manière passive. Même pour ceux qui refusent de telles méthodes, qui réorganisent la salle de classe et font de leur mieux pour encourager et motiver les enfants, les tests et les notes tiennent une place si prépondérante que la marge de manœuvre est fortement limitée. Il semble inévitable que les enfants soient classés, rivalisant, ainsi, les uns avec les autres.

Certaines pratiques que d'autres pays considéreraient comme obsolètes persistent dans les écoles françaises. Deux surtout : la pratique du redoublement de masse et le système de notation. Ces phénomènes valent la peine que l'on s'y arrête. En effet, si le professeur Orbilius, le bourreau d'Horace, vivait encore à notre époque et cherchait à créer une culture du dénigrement capable de décourager et de démotiver les plus brillants élèves, il ne pourrait trouver meilleure solution qu'en appliquant ces deux pratiques.

Le redoublement,
ou la « mortalité scolaire »

L'Education nationale française est la championne mondiale du redoublement. Au Japon, en Corée et dans d'autres parties de l'Asie, ce phénomène n'existe tout simplement pas. Il fait figure de rare exception en Grande-Bretagne, dans la plupart des pays d'Europe de l'Est et dans tous les pays nordiques. En Suède, par exemple, le redoublement représente seulement 3,4 %, soit un élève sur 30. Aux Etats-Unis, où il n'est plus guère utilisé que sur la côte Est, le pourcentage national est d'environ un élève sur dix. En Allemagne, d'un sur cinq. En Espagne et au Mexique, d'un sur quatre.

Mais aucun pays n'égale le taux de redoublement de la France. L'enquête PISA 2003 demandait quel pourcentage des élèves de quinze ans avait déjà redoublé une classe. La moyenne internationale était de 13,4 %. Ce nombre en France était de 38,3 %, soit trois fois plus.

Une étude datant de 2004[1], réalisée par Jean-Paul Caille du bureau des Etudes statistiques sur l'enseignement scolaire, a analysé le taux de redoublement des élèves entrés en 6e en 1995. Caille a remarqué que 43,7 % d'entre eux ont redoublé lors de leur passage à l'école primaire ou au collège ; 34,4 % ont redoublé une fois, et 9,4 % deux fois ou plus. Sa conclusion :

> *Sur la base des taux actuels de redoublement au lycée, on peut estimer que la proportion d'élèves de cette cohorte qui redoubleront au moins une fois du cours préparatoire à la terminale sera proche de 57 %. Les redoublements constituent une mesure pédagogique qui touche aujourd'hui encore une majorité d'élèves.*

Oui, vous avez bien lu. 57 %. Plus d'un élève sur deux redouble une classe. Pourquoi est-ce que je trouve cela scandaleux ? Il est vrai que le redoublement est depuis très longtemps considéré en France comme un garant préservant la qualité du niveau scolaire des élèves, et comme une menace efficace pour exercer une pression sur les plus faibles. Aujourd'hui encore, le redou-

1. « Le redoublement à l'école élémentaire et dans l'enseignement secondaire », *Education & formations* n° 69, 2004.

blement est perçu par certains psychologues et éducateurs comme une « seconde chance », « une année de transition » et une technique « pour permettre de renouer avec la réussite ». Certains élèves et leurs parents y sont favorables, notamment en fin de troisième, car ces derniers préfèrent que leur enfant redouble plutôt que de le voir orienté vers une voie professionnelle ou technologique.

Toutefois, de façon générale, redoubler est inefficace. Des dizaines d'études réalisées dans certains pays, dont la France, montrent que, dans la plupart des cas, cette mesure s'avère contre-productive[1]. En termes de performances scolaires, les élèves font certes mieux lors de leur année de redoublement, mais leurs progrès ne durent pas. Assez rapidement, ils recommencent à perdre pied.

On sait que les enfants qui passent dans la classe supérieure malgré leurs faibles résultats s'en sortent au final bien mieux à l'école que leurs petits camarades de même niveau qui ont redoublé. L'élément psychologique se trouve être la clef du problème : redoubler détruit la motivation et la confiance de l'élève. Nombre d'entre eux finissent simplement par abandonner com-

1. Par exemple, J. Brophy, *Grade Repetition* (UNESCO, 2006) et S. Jimerson, « Meta-analysis of grade retention research », *School Psychology Review* n° 30, 2001.

plètement leurs études. Ce problème est si répandu en Afrique francophone, où les taux de redoublement sont très élevés, qu'on y parle même de « mortalité scolaire ».

En France, personne ne connaît mieux les désavantages du redoublement que le ministre de l'Education lui-même. En 2005, ses experts à la direction de l'évaluation et de la prospective ont compilé un dossier intitulé « Le redoublement au cours de la scolarité obligatoire : nouvelles analyses, mêmes constats »[1]. Ce titre donne déjà une petite idée des conclusions rassemblées, à savoir que :

la répétition des mêmes contenus d'enseignement avec les mêmes méthodes et, quelquefois aussi, le même enseignant, ne se révèle pas, sauf exception, une mesure suffisante pour remettre l'élève à niveau.

Le redoublement s'avère d'abord peu équitable, selon Olivier Cosnefroy et Thierry Rocher, les deux auteurs : « D'une classe à l'autre, des élèves seront amenés à redoubler et d'autres non, alors qu'ils présentent des niveaux de performances identiques, au niveau national. » Il est aussi inefficace du point de vue des progrès des élèves ; l'étude parle de la « perte » d'une année. Et sur-

1. Dossier n° 166, mai 2005.

tout, il pèse lourd sur la motivation, la confiance et les comportements d'apprentissage. L'élève « sera stigmatisé tout le long de sa carrière scolaire ».

On le sait depuis longtemps. Le célèbre plan Langevin-Wallon de 1946, « La réforme de l'enseignement », attaquait cette pratique appartenant à « un âge déjà révolu » et affirmait qu'il valait mieux « utiliser et stimuler les actuelles dispositions psychiques des élèves qui pourraient les aider à surmonter l'obstacle ». Voilà l'une des plus anciennes références que j'ai pu trouver en France, mais je ne serais pas surpris si, quelque part dans de vieilles archives oubliées, un chercheur retrouvait un jour une note gribouillée de la main de Jules Ferry lui-même, déplorant la pratique.

Les uns après les autres, les ministres n'ont cessé de grogner. Haby lui-même, à son époque. Essentiellement depuis la loi Jospin de 1989, l'Education nationale a multiplié les consignes demandant aux professeurs de limiter le plus possible les redoublements. Plus récemment, Xavier Darcos a fait de nouveaux efforts dans ce sens, mettant en place des dispositifs d'aide personnalisée, parmi lesquels les très controversés blocs de deux heures de soutien dans le primaire. Tous ces efforts ont été fructueux. Certes, le taux de redoublement a bondi de manière significative au moment de l'introduction du collège unique, mais globalement, entre 1960 et 1980, la proportion d'écoliers parvenant au CM2 avec du retard a été ramenée de 52 % à 37 %, et ce nombre a presque diminué de moitié depuis, se félicite Caille.

Revenons à notre total de 57 %. Si plus de la moitié des élèves français continuent de redoubler au moins une fois au cours de leur parcours scolaire, et ce malgré plusieurs décennies au cours desquelles d'importants efforts ont été consacrés à la réduction de ce pourcentage, c'est que quelque chose ne tourne pas rond. Le redoublement coûte cher : des milliers d'écoliers français font les frais d'une pratique tout simplement inefficace qui leur laisse de profondes cicatrices psychologiques. Financièrement, il génère une dépense supplémentaire que le ministère estime à plus de 2,2 milliards d'euros par an.

Par-dessus tout, le problème est d'ordre pédagogique. Car le taux astronomique de redoublements en France n'est qu'un symptôme d'un problème plus large et lié au système lui-même : l'incapacité à enseigner de manière adéquate à des enfants qui se situent à différents niveaux d'aptitudes.

Les enquêtes PISA démontrent à quel point les conséquences qui en résultent sont néfastes. Dans l'étude de 2003 axée sur les mathématiques, les élèves français qui étaient « à l'heure » obtenaient de très bons résultats, en se classant dans le top 3 aux côtés de la Finlande et de la Corée du Sud. A l'inverse, les élèves ayant un an de retard se situaient plus bas dans le classement, très en dessous de la moyenne et juste devant la Grèce. Quant à ceux qui avaient redoublé deux fois, ils arrivaient derrière la Turquie et tout juste devant le Mexique, tout en bas.

Dans un avis intitulé « Favoriser la réussite scolaire » émis le 9 octobre 2002, le Conseil économique et social constatait : « Les mentalités françaises sont marquées par la notion de retard scolaire : les élèves sont censés, comme les trains, arriver juste au bon moment dans la classe correspondant à leur âge. » Il avait bien raison : les enfants n'ont pas tous le même niveau de maturité ou la même aptitude à assimiler toutes les catégories de savoirs. Partout dans le monde, les enseignants et les écoles se débattent avec ce problème. Heureusement, de nombreux autres pays sont parvenus à développer une variété de solutions permettant de le résoudre. Certaines sont plus efficaces que d'autres, comme je le montrerai dans le prochain chapitre. Admettre des enfants dans la classe supérieure même lorsqu'ils ne sont pas prêts n'est certainement pas une bonne solution. Mais le redoublement de masse tel qu'il est pratiqué en France ne fait qu'éviter le problème et perpétuer la division entre les bons élèves et les « nuls », un écart qu'Haby espérait à juste titre réduire.

Si le redoublement est une maladie, le système français de notation, lui, peut tuer. C'est une véritable plaie qui exerce des effets nuisibles sur le moral, la confiance en soi et les performances des élèves.

Or, on se trouve en plein paradoxe, car s'il y a bien un domaine éducatif dans lequel la France est à la fois un pionnier remarquable et aujourd'hui un leader dans le monde, c'est celui de la *docimologie* – la tentative de construire une parole scientifique portant sur les épreuves et les examens. La France s'avère en effet une championne en matière d'évaluation des évaluations.

Ce terme fut inventé dans les années 1920 par le psychologue Henri Piéron, du Collège de France. Il est dérivé de deux termes grecs : *dokimē*, examen, et *logos*, mot ou raison. Piéron croyait en la nécessité d'adapter l'éducation aux besoins individuels des élèves – une idée très moderne – et considérait que les préoccupations de la France vis-à-vis de la réussite aux examens et aux concours étaient « le principal obstacle à la généralisation de méthodes d'enseignement assouplies ».

A travers une variété d'expériences vérifiées, Piéron et un petit groupe de chercheurs démontrèrent à quel point le système de notation était discutable et subjectif. Dans une célèbre étude, les collègues de Piéron, Henri Laugier et Dagmar

Weinberg, confièrent à trois professeurs de la faculté des sciences 37 copies dactylographiées et anonymes. Le premier professeur ne corrigea les copies qu'une fois. Le deuxième fut appelé à les recorriger dix mois après, et le troisième plus de trois ans plus tard. Résultat : dans 30 cas sur 37, les notes changèrent radicalement, avec un écart – plus haut ou plus bas – s'élevant jusqu'à 10 points. Pire, ces variations auraient changé le destin des étudiants. La moitié des admis initiaux auraient été refusés après cette seconde correction et la moitié des refusés initiaux auraient été admis.

Depuis, les successeurs de Piéron ont mené des douzaines d'autres études et un certain nombre d'entre elles soulignent à quel point des élèves faibles peuvent être piégés par de mauvaises notes, en étant pris dans une dynamique de dévalorisation qui peut s'avérer irréversible. L'étude la plus pertinente appuyant mon argument fut conduite par Jean-Jacques Bonniol et plusieurs de ses collègues en 1972. Elle s'inscrit dans le même esprit que le travail de Rosenthal et Jacobson, nos chercheurs Pygmalion. Bonniol donna à deux groupes d'examinateurs les mêmes copies écrites par un groupe d'élèves de 6e. Il fut indiqué aux uns que les copies avaient été rédigées par des élèves de niveau élevé, et aux autres qu'elles l'avaient été par des élèves de niveau faible. Résultat : les copies des élèves « forts » étaient systématiquement surestimées et les copies attribuées aux élèves « faibles » sous-estimées. La même copie notée 13/20 pour un « bon » élève ne recevait que 11/20 pour un « mauvais ». La note moyenne pour les enfants supposés forts fut de 11,16. Pour ceux supposés faibles, elle ne fut que de 9,65 – même si la copie était exactement la même. Etant donné que 10 représente le seuil critique, l'écart est la différence entre succès et échec. Conclusion du chercheur Bonniol et de ses collègues :

> *Les bons ne peuvent que bien faire, les mauvais ne peuvent que mal faire... L'élève plein d'avenir ne peut fournir, d'après les correcteurs, que des productions meilleures que celles de l'élève faible, difficilement récupérable voire irrécupérable*[1].

Ces études intriguent car elles démontrent que la notation est par nature même une pratique inexacte qui nécessite d'être manipulée avec précaution. Le paradoxe français résulte de ce que – bien que les plus brillants chercheurs de l'Hexagone démolissent les techniques d'évaluation – ses enseignants s'appuient sur un système de notation profondément biaisé et qui repré-

1. Jean-Jacques Bonniol, Jean-Paul Caverni et Georges Noizet, « Le statut scolaire des élèves comme déterminant de l'évaluation des devoirs qu'ils produisent », *Cahiers de Psychologie* n° 15, 1972.

sente un obstacle majeur au changement dans la culture de l'Education nationale.

Ce système a deux principaux défauts. Le premier est que l'évaluation en France demeure essentiellement un outil de *sélection* des élèves, plus qu'une aide à la *formation*. En conséquence, les notes sont des instruments qui perpétuent et augmentent les divisions entre les élèves, au lieu de les aider à les réduire. La seconde raison est que l'échelle de notation elle-même, de 0 à 20, est utilisée comme un boulet de démolition, visant à abattre même le plus brillant des élèves.

Les défauts du système sont clairement expliqués dans un rapport fascinant de l'Inspection générale de l'Education nationale et de la Recherche datant de 2005, et déjà cité plus haut. Intitulé « Les acquis des élèves, pierre de touche de la valeur de l'école ? », il soutient que le système d'évaluation ne fait tout simplement pas son travail de base : offrir de la visibilité sur les acquis réels des élèves : « On ne sait pas bien ce que les élèves apprennent, et cette ignorance est néfaste pour tous. » Les inspecteurs dénoncent également « la tyrannie de la note » et :

> *le souci presque religieux de prendre pour référence la moyenne et d'aboutir à un classement, c'est-à-dire à la définition d'une situation relative et non d'une situation absolue... Il résulte de cette religion de la moyenne nombre d'effets*

pervers qui jouent le plus souvent contre l'égalité et l'équité.

En effet, le trait principal du système français ressemble à une distribution de type gaussien. Les notes sont censées former une très jolie courbe en cloche, avec une majorité d'élèves groupée au centre. Certains approchent du haut de la courbe mais plus leur nombre diminue plus les notes augmentent. Par ailleurs, on trouve des élèves dispersés en bas ou près du bas de la courbe. La seule question est de savoir où est le point limite, mais une fois que cela est décidé, voilà : les élèves sont classés entre les bons, les moyens et les faibles. Tout ce qui compte vraiment, c'est la moyenne.

Le problème avec ce système, c'est qu'il requiert des notes faibles pour pouvoir fonctionner. Ce qu'André Antibi, professeur à l'université Paul-Sabatier de Toulouse, décrit comme une « constante macabre ». Il confesse :

Il m'est arrivé plusieurs fois d'éprouver un réel sentiment de malaise et d'angoisse à l'idée que les notes d'un de mes contrôles pourraient être anormalement élevées. Je dois même faire une confidence : en cours de correction des copies d'examen, j'ai souvent éprouvé un certain plaisir malsain en présence d'une mauvaise copie pour une unique raison : grâce à cette copie, la moyenne des notes que je craignais trop élevée allait diminuer ; et j'espérais rencontrer d'autres copies du même type pour pouvoir « être dans les normes »[1].

Antibi n'est pas le premier à dénoncer ce système de notation. Déjà en 1890, le ministre Léon Bourgeois critiquait des « sanctions si souvent hasardeuses et illusoires ». Ce problème est perçu comme une plaie par les théoriciens contemporains de l'éducation tels Philippe Perrenoud et Marcel Crahay, professeurs à la faculté de psychologie et des sciences de l'éducation à l'université de Genève, qui ont fort bien décrit l'effet pernicieux des notes sur la motivation des élèves les plus fragiles. C'est une spirale descendante et destructive, dans laquelle les enfants « en difficulté » peuvent vite devenir des élèves « difficiles ».

Toutefois, l'histoire concernant le système d'évaluation est la même que celle du taux de redoublement : tout le monde semble d'accord pour dire que le système est vicieux mais personne n'est encore parvenu à le transformer de manière durable. Comme les inspecteurs le notèrent dans leur rapport, « il est peu encourageant d'étudier à nouveau aujourd'hui l'évaluation

---

1. *La Constante macabre*, Nathan, collection Math'Adore, 2003.

des élèves tant est faible l'impact sur les pratiques professionnelles des travaux menés par le passé ». Un nouveau système d'évaluation a été introduit récemment dans les écoles primaires, mais il est presque pire que celui qui existait auparavant.

Je suis tout autant dérangé par les notes elles-mêmes. Tout d'abord, l'échelle de 0 à 20 me paraît beaucoup trop large et floue.

Dans ses « Ecrits clandestins » publiés dans *L'Etrange Défaite* et écrits en 1940, Marc Bloch s'indigne de l'utilisation de cette échelle :

> *Lorsque je vois un examinateur décider que telle ou telle copie d'histoire par exemple ou de philosophie ou même de mathématiques, cotée sur 20, vaut 13 ¼ et telle autre 13 ½, je ne puis en toute déférence m'empêcher de crier à la mauvaise plaisanterie.*

Il avait raison. Pour la plupart des évaluations, s'il y a une différence matérielle dans un quart ou un demi-point, elle est tellement minuscule qu'elle en devient invisible. Soit le professeur est simplement fier d'exhiber sa subtilité intellectuelle, soit, ce qui semblerait plus probable, cette différence est utilisée pour classifier les élèves de manière hiérarchisée, ce qui ne sert qu'à l'enseignant ainsi qu'à l'inspecteur scolaire, et en aucun cas à l'élève lui-même.

Pourquoi s'arrêter à la seule critique des demi-points ? Quelle est réellement la différence entre un 13 et un 14 ? Entre 7 et 9 ? Entre 11 et 15 ? Il n'existe qu'une seule note en France qui compte vraiment : le nombre 10. En dessous de celui-ci, vous échouez. Au-dessus, vous réussissez. Pourquoi ne pas tout simplement supprimer complètement l'échelle de 0 à 20 ? Elle pourrait être remplacée par un système binaire : réussite ou échec ; 1 ou 0.

Ceci est excessivement réducteur, je l'avoue. Ce qui serait bien plus utile aux élèves, parents et enseignants, ce serait une échelle expliquant que les élèves s'en sortent « bien », « très bien », de manière « satisfaisante », ou « mal ». De nombreux pays ont recours à une échelle de quatre ou cinq notes différentes, mais clairement définies, qui ne laisse planer aucune ambiguïté sur les résultats de l'élève. Aux Etats-Unis par exemple, les notes vont de A à F. Si vous obtenez un B, vous savez que vous progressez mais que vous avez encore la possibilité de vous améliorer. Si c'est un C, vous êtes en train de prendre du retard. Un A signifie que vous faites du bon travail.

Edgar Faure a essayé d'introduire cette échelle de notes en 1969 lorsqu'il était ministre, mais comme tant d'autres tentatives visant à réformer le système éducatif, cette dernière a elle aussi échoué. Le pays est maintenant bloqué avec un système qui rend extrêmement difficile toute évaluation objective des élèves. Que signifie vraiment un 12 ? Cela dépend de l'enseignant. Il peut s'agir d'une assez bonne note de la part d'un professeur de philosophie exigeant, mais il pourrait tout aussi facilement s'agir d'une note médiocre venant d'un professeur d'anglais généreux. A Paris, le fils de l'un de mes amis avait un professeur de maths très sévère en classes de 1re et de terminale qui ne lui donnait que des 11 et des 12, compromettant ses chances d'accéder à une bonne classe préparatoire. Au bac, il obtint un 18.

Je suis loin d'être le seul à vouloir résoudre ce casse-tête, comme j'ai pu m'en rendre compte par un soir de printemps, dans une salle de conférence obscure de la rue de l'Université à Paris. Il s'agissait d'une salle du conseil d'administration de Sciences-Po, où j'avais enseigné pendant ces quelques dernières années, à l'Ecole de journalisme. Sous la direction de Richard Descoings, Sciences-Po a engagé une admirable procédure d'examen de conscience. Dans cet esprit, l'association « Profs à Sciences-Po » a tenu une rencontre-débat en avril 2009 pour discuter de l'évaluation des étudiants. Environ 30 d'entre nous se sont réunis autour d'une large table ovale pour échanger nos expériences et nos interrogations. Nous possédions tous des profils très différents – parmi les participants se trouvaient une spécialiste de la littérature féministe, plusieurs professeurs d'espagnol, un avocat spécialisé dans le développement durable et une personne préparant les étudiants de l'Ecole de journalisme à l'expression orale. Nous avions tous un souci en commun : une profonde incertitude sur la façon de noter.

Une professeur de philosophie qui avait rejoint Sciences-Po depuis peu, après avoir enseigné quelque temps en classe préparatoire, confessa qu'elle avait fait exprès de donner au premier lot de copies qu'elle avait corrigées des notes qui lui paraissaient assez bonnes selon ses standards, et pourtant, l'administration de l'école lui avait reproché d'appliquer un barème trop strict. « Il est difficile de savoir exactement ce que l'on attend de nous », dit-elle.

La plupart s'accordaient à dire que les capacités scolaires des étudiants étaient presque toutes très bonnes, ce qui rendait difficile le fait de noter les étudiants sur une échelle de 0 à 20. Une professeur d'espagnol parlant avec un fort accent expliqua qu'elle avait pour principe de toujours donner plus de 10. Une collègue française s'en indigna. « Il faut donner 9, s'il y a besoin, tonna-t-elle. Sinon, ils risquent de devenir mégalomanes. »

Patrick Terroir, responsable de l'association, parla, lui, des difficultés qu'il rencontrait lorsqu'il devait écrire des lettres de recommandation pour les jeunes souhaitant étudier dans des universités à l'étranger. Celles-ci ne pouvaient absolument pas comprendre le système de notation français. La seule manière de faire rentrer les étudiants dans ces universités était d'imiter le style d'écriture américain habituellement utilisé dans ce type de lettres, expliqua Terroir, en employant « un maximum de superlatifs ». En France, s'inquiétait-il, quelqu'un utilisant ces superlatifs serait perçu comme fou.

Pourquoi est-il si difficile, voire impossible d'obtenir un 20/20, parfois même un 19 ou un 18 ? Chaque fois que j'en discute avec des professeurs ou des amis qui n'enseignent pas, la première réaction est toujours identique : une véritable incrédulité quant au fait que l'on puisse oser poser la question. N'est-il donc pas évident que l'on ne doit jamais donner des notes très élevées ? « On peut toujours faire encore mieux », m'expliquent-ils.

J'ai essayé, en vain jusqu'ici, de découvrir d'où venait cette attitude. Est-elle religieuse ? Certainement, l'idée que seul Dieu est parfait et que nous, mortels, sommes des pécheurs qui ne pourrons jamais être à sa hauteur, est un pilier des religions judéo-chrétiennes. Mais si les racines de cette pratique sont effectivement religieuses, il s'agit là d'une ironie grotesque. Après tout, l'un des plus fiers succès du républicanisme français et la raison pour laquelle les gens évoquent aussi souvent le nom de Jules Ferry, est le fait que l'école française est laïque.

Si ce n'est pas la religion, qu'est-ce qui pourrait bien être à l'origine de cette réticence ? Un perfectionnisme exagéré, peut-être, ou un complexe obsessionnel de flagellation ? Peut-être est-ce le reflet de l'arrogance des professeurs qui se sentent menacés par l'excellence de leurs élèves. Ou peut-être s'agit-il encore d'une tradition que personne jusqu'ici n'a osé remettre en cause.

L'une des explications les plus amusantes que j'ai rencontrées se trouve dans un roman de Geneviève Jurgensen, *A peine un désordre*. L'héroïne, Judith Escoffier, est une professeur d'anglais qui passe ses soirées à corriger des devoirs, allant jusqu'à y déceler une perspective érotique :

> *Petit à petit, l'idée s'imposa qu'une note en haut d'un devoir avait la même valeur qu'un mot d'amour, ou qu'une caresse : elle était l'expression de la satisfaction de l'adulte face à l'enfant. Cette satisfaction se devait de s'exprimer avec plus ou moins de retenue selon l'âge de l'élève. Accorder vingt sur vingt au devoir d'une jeune fille de seize ans, ç'aurait été comme l'engager à une étreinte dont elle n'aurait sans doute pas voulu et qui aurait de toute façon gêné Judith. Elle y aurait vu une véritable manœuvre de séduction...*

Quelle qu'en soit la raison, l'apparente incapacité du système français à féliciter ne va malheureusement pas de pair avec une incapacité à gronder. Un 0/20 n'est pas seulement une note *possible*, elle est aussi fréquemment attribuée. Pour certains exercices, notamment les dictées, certains professeurs donnent même moins de 0, en fonction du nombre d'erreurs dans le texte. Mais je n'ai jamais encore entendu parler d'un professeur donnant plus de 20 à un élève pour avoir rendu un travail encore meilleur que ce qui était requis. Il semblerait que les simples mortels peuvent au mieux espérer un 17, surtout en littérature ou en philosophie.

Cette avarice notationnelle crée deux sortes de perdants. Les premiers sont les élèves qui se situent quelque part au milieu de cette infâme courbe gaussienne – ni tout en haut, ni non plus tout en bas. Le système ne les incite pas à exceller. Il leur faut juste obtenir un 10, pour être dans la moyenne. En observant les résultats PISA, on peut se demander si davantage de jeunes Français auraient rejoint le groupe des meilleurs si on les avait poussés, durant leur scolarité, à obtenir des résultats supérieurs à la moyenne.

Le deuxième groupe de perdants est, en vérité, celui des gagnants. Que dit l'échelle de notes au très bon élève ? Elle dit : vous avez bien travaillé, mais il vous reste du chemin à faire. C'est encore insuffisant. Sans aucun doute, ce genre d'attitude peut motiver des jeunes brillants et ambitieux à travailler encore plus et à obtenir d'encore meilleurs résultats. Mais il y a une limite. Le danger est qu'ils arrêtent d'essayer de progresser parce qu'ils n'y sont plus incités.

Parfois, il est juste important de donner une grande tape dans le dos de quelqu'un et de lui dire : Bravo ! C'était super ! Cela fait trois siècles que Locke a compris cela :

> *Puisque l'homme est dès le berceau un être vain et orgueilleux, ne craignez pas de flatter sa vanité pour des choses qui le rendront meilleur. Laissez son petit orgueil se porter vers tout ce qui peut tourner à son avantage.*

Le fait de nourrir ce petit orgueil en France n'est pas chose facile, toutefois. Une enseignante anglaise expérimentée travaillant en école primaire à Paris me fournit un exemple révélateur : du temps où elle travaillait en Angleterre, elle envoyait systématiquement un enfant qui faisait du bon travail voir la directrice de l'école. Cette dernière regardait le cahier de l'élève avec attention, posait des questions et félicitait très chaleureusement l'enfant.

Lorsque mon amie vint en France, elle essaya d'appliquer le même système. Les premières fois, elle ne prévint pas la directrice de l'école, qui ne comprenait pas pourquoi l'enfant venait la voir ;

dans cette école, comme dans la plupart des écoles françaises, seuls les enfants qui avaient fait quelque chose de *mal* étaient envoyés chez la directrice. Mon amie expliqua alors les raisons de son acte. La directrice ne comprit toujours pas, ou peut-être ne le voulait-elle pas. Mon amie anglaise a, depuis lors, arrêté d'envoyer les meilleurs élèves la voir.

Orbilius est mort il y a 2000 ans, mais ses méthodes sont toujours d'actualité.

4

Dans la boîte noire

Au collège John-Adams de Santa Monica, en Californie, presque aucun jeune ne redouble de classe, aussi mauvais que soient ses résultats scolaires. Ce collège public est à moins de 2 kilomètres de la plage et certains des 950 élèves vivent juste à côté, dans des maisons valant 1 million de dollars ou plus. Ils se rendent à l'école dans de grosses berlines allemandes. Mais une partie importante d'entre eux vit dans des HLM, plus au sud ou à l'est. Ce sont pour beaucoup des immigrants mexicains de la première ou de la deuxième génération. Ils arrivent, eux, dans des bus jaunes gérés par la municipalité. Martha Shaw, la directrice de John-Adams, affirme que cette diversité est son plus gros défi. Tout comme le milieu socio-économique, le niveau d'éducation de ces jeunes varie radicalement. Certains visent déjà Harvard ; d'autres ont des difficultés à lire à l'âge de 12 ans.

Durant les cinq années où elle a été la principale de John-Adams, Martha Shaw n'a fait redoubler que deux enfants, et à chaque fois, « cela fut une horrible décision » à prendre, explique-t-elle. « Cela ne marche vraiment pas à cet âge-là. Ils sont tellement en colère qu'ils échouent partout l'année suivante. Leur vie sociale est tellement importante à cette période, qu'il est difficile pour eux d'être retenus en arrière. Cela les paralyse émotionnellement et ils arrêtent tout simplement d'avancer. »

Comme la plupart des écoles américaines, John-Adams se démène pour récompenser la réussite des élèves et motiver chacun d'entre eux. Elle honore les succès de tous types, que ce soit d'ordre académique, artistique, sportif ou même social. Une fois toutes les six semaines, les élèves sont rassemblés dans le hall principal pour une cérémonie solennelle au cours de laquelle on leur remet une série de récompenses. Certaines sont données en raison d'excellentes notes obtenues à maintes reprises, mais aussi pour récompenser « les plus gros progrès ». Et dans une école qui a connu des problèmes de drogue et de violence récurrents, il existe des prix pour les comportements exemplaires, les récompenses « de la citoyenneté ». Ces prix sont modestes – un certificat et une poignée de main. La vraie récompense est d'obtenir une reconnaissance devant ses pairs.

Mon neveu Max est élève à John-Adams, dans une classe de niveau équivalent à la 3ᵉ. Lorsque je lui ai demandé ce qu'il pensait de ces prix, il m'a répondu avec maturité : « Ils visent principalement des personnes qui ont du mal, ceux qui ont besoin de motivation. Cela stimule leur confiance en eux. Personnellement, je suis déjà motivé, mais pour beaucoup de gens qui ne le sont pas, cela peut vraiment les aider à continuer à essayer de progresser. »

Les écoles américaines ne sont pas un modèle pour la France. Elles ont aussi bon nombre de problèmes qui leur sont propres. Le programme scolaire est moins exigeant qu'en Europe, la somme de culture générale requise est moins importante et les résultats globaux des étudiants américains sont plus faibles qu'en France. La baisse du niveau scolaire est autant un problème politique aux Etats-Unis qu'en France, et ce depuis de nombreuses années. Déjà en 1983, une commission gouvernementale avait publié un rapport accablant intitulé « Une nation à risque », qui faisait l'analyse des problèmes de l'éducation américaine et de ses probables conséquences. Les Etats-Unis, concluait-il, étaient « rongés par une vague montante de médiocrité qui menace notre futur même en tant que nation ».

L'un des problèmes les plus flagrants est l'énorme écart de réussite entre les groupes raciaux et les différentes catégories de revenus. Les enfants américains blancs réussissent de manière générale plutôt bien, selon les comparaisons PISA, tandis que les Latinos ont des résultats inférieurs et que les enfants noirs obtiennent des notes très faibles. Il existe également une nette corrélation aux Etats-Unis entre résultats et revenus : les enfants issus de familles pauvres tendent à réussir moins bien que ceux qui viennent de familles mieux loties. Les meilleures écoles américaines sont pour la plupart privées. Si vous avez les moyens de payer 30 000 dollars par an, vos enfants sont assurés de recevoir une éducation de qualité.

Dans le test PISA, seuls quelques pays peuvent rivaliser avec les Etats-Unis en ce qui concerne l'inégalité en matière d'éducation. Etonnamment, étant donné son attachement aux idéaux républicains et au concept d'égalité, la France en fait partie[1].

Malgré tous leurs défauts, les écoles américaines sont douées pour une chose : développer la confiance en soi. Des sondages montrent que les élèves sont généralement à l'aise avec leur image et confiants vis-à-vis de leurs aptitudes. Demandez-leur ce qu'ils pensent de l'école, combien d'aide ils obtiennent de leurs professeurs et s'ils apprennent bien leurs leçons, et leur réponse sera dans la plupart des cas positive. Ils sont bien moins

1. Une analyse de PISA 2003 montre qu'aux Etats-Unis, 19 % des écarts de résultats en maths sont liés aux disparités sociales. Pour la France, ce chiffre est de 20 %. McKinsey & Co, « The economic impact of the achievement gap in America's schools », juin 2009.

stressés que les Français. L'une des raisons à cela pourrait être que l'école aux Etats-Unis n'est pas uniquement liée au travail intellectuel. De nombreuses autres activités jouent un rôle important. Il y existe de multiples équipes de football, de basket-ball et de tennis. L'école John-Adams a trois orchestres, trois groupes musicaux et six chorales. Mon neveu Max passe plus de quatre heures chaque semaine à pratiquer le violoncelle durant ses heures de classe. De telles activités représentent un exutoire très sain pour les élèves, permettant de moduler l'importance des résultats en classe. Un élève peut avoir des difficultés en mathématiques, mais s'il est une star des terrains de basket, il est respecté et honoré pour cela. Surtout, ces activités non intellectuelles donnent aux élèves le sentiment qu'ils appartiennent à une communauté. Comme me l'a expliqué Martha Shaw : « Nous essayons de créer des relations chaleureuses pour que les élèves développent des liens avec l'école. »

La culture populaire américaine aime célébrer ces liens, ce qui explique pourquoi il y a tant de films et de séries télévisées qui traitent de la vie scolaire, comme le *High School Musical*. Toujours remplis d'optimisme, ils rendent hommage à la communauté formée et axée autour de l'école. Leur message : la vie est belle ! Même à l'école ! En France, *Les Choristes* ne font pas preuve du même punch.

La plupart de mes amis français diraient qu'un bon état d'esprit est un pauvre substitut des performances intellectuelles, et je serais probablement d'accord avec eux. Toutefois, il serait intéressant de se demander quelle est la meilleure des options : un élève américain qui quitte l'école avec de mauvais résultats scolaires mais qui a confiance en lui, ou un élève français dans la même situation, avec les mêmes mauvais résultats mais qui est stressé, nerveux et découragé par son expérience scolaire. Si vous étiez un employeur et que vous deviez choisir entre les deux, lequel choisiriez-vous ? Les Américains seraient toujours gagnants.

Ce qui sauve le niveau académique des Etats-Unis, ce sont les universités, hautement financées et chouchoutées. La vraie formation des élites américaines n'a pas lieu à l'école mais dans les programmes diplômants des meilleures universités. Les élèves qui ont réussi à intégrer ces programmes rattrapent alors très facilement leur retard sur les étudiants français ou du reste de l'Europe. Harvard, Stanford, Berkeley, le MIT, Columbia, Princeton et Yale apparaissent régulièrement en tête du classement des meilleures universités du monde. Elles sont fières de leur excellent niveau et s'affolent au moindre signe de variation des résultats. Comme l'a compris Harvard en 2001, maintenir un niveau élevé peut aussi passer par le fait de ne pas attribuer d'excellentes notes à tout le monde. Cette année-là, la moitié des étudiants de Harvard obtinrent des A et des A–. Les critiques dénoncèrent très vite une « inflation des notes ». Même dans une école élitiste, tout le monde ne peut pas être aussi bon, insistent-ils. Harvey Mansfield, qui enseigne les sciences politiques à Harvard, est l'un d'entre eux. Il estime que la confiance en soi est aujourd'hui devenue *trop* importante dans le système éducatif américain. « Le but de l'éducation est de faire en sorte que les étudiants se sentent capables et tout-puissants, et que les professeurs hésitent à juger les progrès des élèves », se plaint-il.

Depuis, Harvard attribue moins de A. Mais Mansfield a vu juste. Il y a bien un danger à ce que les étudiants américains aient trop confiance en leurs capacités, et qu'ils prennent la grosse tête. C'est ce que j'ai pu remarquer lors de mon expérience avec des étudiants en programmes d'échange. Les Américains de premier cycle qui viennent à Paris insistent parfois, avant d'arriver, sur le fait que leur niveau de français est « bon ». Assez souvent, il est en réalité si rudimentaire qu'il leur est même difficile de commander un café dans un bar.

*

Le modèle américain avec ses défauts n'est pas la seule alternative. A travers le monde, de nombreux pays ont envisagé de combiner une culture scolaire moins rébarbative que celle qui existe en France avec une rigueur intellectuelle plus importante qu'aux Etats-Unis. L'idée de trouver le juste équilibre entre l'excellence académique et le développement personnel des élèves, est devenu le Saint-Graal de la pédagogie mondiale.

Il existe une recherche en pleine expansion, pour parvenir à ce but. De plus en plus, celle-ci se concentre sur ce qui se passe dans la salle de classe. C'est une « boîte noire », selon l'expression de deux chercheurs britanniques Paul Black et Dylan Wiliam, qui ont réalisé des études approfondies sur les méthodes d'enseignement[1]. Dans cette boîte, on place de nombreuses données – des élèves et des enseignants bien sûr, mais aussi des règles et des obligations du système éducatif, les angoisses parentales, les niveaux nationaux, les examens et les fonds gouvernementaux. De cette boîte sont censés émerger des élèves qui ont acquis des connaissances, des professeurs satisfaits, de bons résultats scolaires et une population étudiante de plus en plus éduquée.

En réalité, la plupart du temps, ce système ne fonctionne pas : les données premières deviennent de plus en plus pesantes et normatives, mais

---

1. P. Black et D. Wiliam, « Inside the Black Box », *Phi Delta Kappan*, octobre 1998.

échouent à donner des résultats, ce qui s'avère décevant. C'est précisément ce à quoi ressemble l'expérience française : chaque nouveau ministre arrive rue de Grenelle avec une série de réformes et repart quelques mois ou quelques années plus tard avec un bilan bien médiocre. La raison d'un tel échec, comme le montrent les recherches, est que l'aspect le plus critique de toute la procédure est trop souvent ignoré : à savoir, ce qui se passe *à l'intérieur* de la boîte noire. Il ne sert à rien d'ajouter des données si ce qui se passe dans la salle de classe ne change pas.

Quelle est alors la meilleure façon d'obtenir des résultats ? Il n'y a bien sûr pas une seule et unique bonne réponse à cela, qui aurait émergé des piles d'études de psychologie, d'éducation et de sociologie. Certains des travaux récents les plus intéressants à ce sujet proviennent de cette science émergente qu'est la « psychologie positive », un mouvement qui commença aux Etats-Unis à la fin des années 1990. Elle examine l'impact que l'impression de bonheur et de satisfaction peut avoir sur les individus, et dans quelle mesure ils sont capables de compenser des sensations négatives de colère et de douleur.

En se basant sur une série d'expériences psychologiques, l'une des pionnières en la matière, Barbara Fredrickson, de l'université de Caroline du Nord a montré à quel point les émotions positives peuvent améliorer la vie des individus de nombreuses manières, allant de l'augmentation des capacités cognitives à l'élévation de notre espérance de vie.

A l'université d'Aarhus au Danemark, Hans Henrik Knoop a essayé d'appliquer ces idées-là au sein des écoles. Il mène actuellement au Danemark une expérience de grande ampleur avec 12 000 élèves, et occupe également la fonction de conseiller auprès d'autorités éducatives un peu partout ailleurs, entre autres en Finlande. S'appuyant sur le travail de généticiens et de neuroscientifiques ainsi que de psychologues, il affirme que les individus apprennent de manière plus efficace lorsqu'ils apprécient ce qu'ils font, et lorsque cela a du sens ou est intéressant. La plupart des systèmes éducatifs traditionnels s'effondrent à cause de deux idées reçues qu'il considère comme « pédagogiquement catastrophiques » : que les enfants naissent plus ou moins identiques, et qu'ils doivent être forcés à apprendre, de manière à ce que cet apprentissage soit efficace. « Ces hypothèses fonctionnaient très bien avec le modèle industriel du XIXe siècle de scolarisation de masse, mais il existe aujourd'hui un nombre de preuves scientifiques écrasant au point que ces idées vont à l'encontre même de la nature humaine[1] », écrit-il.

1. « Education in 2010 and in 2025 : How positive psychology, and its roots, invigorates education », Copenhague (2009).

Knoop était en Islande pour y conseiller le gouvernement du pays, quand je l'ai appelé pour lui demander son avis sur le système français actuel. Il répondit qu'il s'agissait d'un « exemple extrême » de ce modèle du XIXe siècle qu'il dénigrait tant.

Des recherches éducatives traditionnelles soutiennent au moins certaines de ces conclusions. Le gouvernement norvégien a commandé en 2008 un rapport détaillé sur les stratégies efficaces dans les salles de classe, rapport qui sondait les travaux de recherche disponibles sur le sujet. Il identifia deux éléments clefs évoqués par ces études : l'importance d'avoir des professeurs qui encouragent et aident les élèves, et la nécessité d'établir des règles claires dans la salle de classe. La preuve écrasante, selon cette méta-étude norvégienne, est que le comportement des enseignants dans la salle de classe est bien plus important que la taille de la classe ou encore le milieu socio-économique des élèves. « Un enseignant qui apporte son soutien, qui est tolérant vis-à-vis des initiatives d'un élève et qui le motive, accroît les capacités d'apprentissage des élèves, pas seulement par rapport aux matières scolaires, mais aussi dans les domaines de l'estime de soi et l'autonomie, tout en réduisant les comportements perturbateurs. » De plus, l'étude montre que les élèves obtiennent de meilleurs résultats s'ils engagent leur responsabilité dans certaines activités de la salle de classe, plutôt que s'ils ne sont voués qu'à recevoir des ordres[1].

Les chercheurs britanniques Black et Wiliam réalisèrent la synthèse d'études concernant les méthodes d'évaluation. Elles montrent que les remarques constructives sont plus utiles que de distribuer des notes. L'idée de comparer continuellement les élèves les uns aux autres ne les aide pas à s'améliorer, mais au contraire renforce le sentiment d'échec parmi les moins bons, les persuadant qu'ils sont incapables d'apprendre. Les remarques doivent se concentrer sur ce que l'élève a bien fait et sur ce qu'il a besoin de travailler de manière à s'améliorer. En d'autres termes, l'élève est évalué par rapport à lui-même et non par rapport aux autres.

Il est ici question de bon sens : après tout, qu'est-ce qui est le plus utile ? Que l'on vous explique qu'il faut faire attention aux accords lorsque l'on utilise le passé composé des verbes avec l'auxiliaire être, ou que l'on vous dise que votre copie vaut un 12/20 ? Quelques-unes des méthodes les plus efficaces de cette évaluation formatrice comprennent une auto-évaluation, grâce à laquelle les élèves eux-mêmes identifient les tâches qu'ils sont capables d'accomplir avec facilité, et

1. « Teacher competences and pupil achievement in preschool and school », ministère de l'Education et de la Recherche d'Oslo (2008).

celles pour lesquelles ils ont plus de difficultés. L'objectif majeur est d'acquérir la motivation nécessaire. « Ce dont nous avons besoin, c'est d'une culture de la réussite, appuyée par la conviction que tous les élèves peuvent réussir », disent Black et Wiliam.

En théorie, tout ceci paraît formidable – et il existe des tas des théories, notamment en France. L'évaluation formatrice y constitue une part fondamentale de ce qui est aujourd'hui connu sous le nom de pédagogie différenciée, qui compte de nombreux partisans, à commencer par Célestin Freinet qui l'utilisa pour la première fois il y a plus de 70 ans. Le problème reste que, même là où ces techniques sont adoptées dans la théorie, elles peuvent être difficiles à mettre en pratique à une grande échelle.

Partout, l'éducation résiste au changement. Au Canada et en Grande-Bretagne par exemple, l'évaluation formatrice est encouragée par la politique gouvernementale, mais dans ces deux pays, des rapports officiels ont souligné la difficulté de l'appliquer avec succès. En France, le meilleur exemple, le plus récent, est celui du nouveau livret scolaire que les enseignants sont censés remplir pour tous les enfants, dans leurs dernières années de primaire. Le but est d'identifier ce qu'ils ont déjà appris et ce qu'ils maîtrisent. Mais les seize pages du formulaire en font un véritable cauchemar, un document désespérant. Il exige des enseignants qu'ils évaluent les élèves sur pas moins de 405 critères spécifiques. Pour toute une classe, le remplir consciencieusement prendrait des semaines. Il est tellement compliqué qu'on pourrait croire à une tentative désespérée de sabotage de toute réforme. En tout cas, voilà encore une autre bonne idée devenue totalement contre-productive.

Toutefois, il existe des pays qui ont réussi à réformer leur système d'enseignement, avec des résultats spectaculaires. La Corée est l'un d'entre eux ; nation comptant à l'origine une population largement illettrée, ne possédant pratiquement aucun bâtiment scolaire en 1953, elle a acquis l'un des systèmes éducatifs les plus efficaces du monde. Singapour en est un autre exemple. On s'est rendu compte que les mathématiques y sont mieux enseignées lorsque les étudiants travaillent en binômes ou en petits groupes, et lorsqu'ils viennent ensuite expliquer au tableau leurs réponses et s'interrogent les uns les autres. Ceci crée entre les élèves un fort dialogue qui aide chacun à comprendre et à devenir plus à l'aise avec le sujet. Singapour arrive systématiquement parmi les trois premiers pays du monde dans les tests internationaux de maths et de sciences.

Ces deux pays sont impatients de se débarrasser du lourd fardeau que représente pour eux l'apprentissage du par cœur traditionnel dans une grande partie de l'Asie. L'un des signes de ce profond changement intellectuel est apparu dans un discours que le Premier ministre de Singapour Lee Hsien Loong a prononcé en 2004 lors de la fête nationale. Il disait alors : « Nous devons enseigner moins à nos enfants de manière à ce qu'ils apprennent davantage. »

Imaginez un peu la réaction dans l'Hexagone si le Président français osait faire une telle déclaration.

La Corée et Singapour ne sont pas de bons modèles pour la France car leurs traditions sont trop éloignées. Mais il y a un pays en Europe qui a fondamentalement transformé son système éducatif, à l'origine assez proche de celui de la France d'aujourd'hui. Il a utilisé des méthodes intelligentes se concentrant sur le bien-être individuel des élèves, en mettant l'accent sur le professionnalisme des enseignants, fortement encouragé, et en changeant radicalement la relation entre les écoles et les responsables des politiques éducatives. Les résultats sont spectaculaires : il est devenu la star du test PISA, le chouchou de l'éducation mondiale, le modèle que tout le monde veut comprendre. Ce pays, c'est la Finlande.

*

La première fois que Kirsti Santaholma s'est assise dans une salle de classe française, elle fut surprise et elle continue de l'être à chaque fois qu'elle y retourne. « Il existe une différence importante entre la Finlande et la France. En France, vous cherchez à savoir ce qui est mauvais chez l'enfant. Ici, vous voulez voir ce qu'il y a de bon », dit-elle.

Santaholma est l'adjointe au principal du collège Itäkeskus, à l'est d'Helsinki, une zone habitée par la classe ouvrière de la capitale finlandaise et qui a récemment connu un grand afflux d'immigrants africains. Elle enseigne le français et a passé beaucoup de temps dans les écoles françaises par le biais d'échanges qu'elle a contribué à organiser avec des collèges dans le Midi de la France.

Le fait de trouver le bon ton dans une salle de classe est crucial en Finlande. Cela implique de stimuler les élèves plutôt que de les intimider, de leur être utile plutôt que de se montrer autoritaire. Les enseignants et les élèves se tutoient généralement, mais le but est d'entretenir un ton respectueux, tout en définissant de manière claire qui est responsable de la classe. C'est un défi de taille et cela exige des compétences qui doivent être apprises et mises en pratique. Contrairement au cas de la France où la formation pédagogique des enseignants est moins importante que leurs qualifications universitaires, les Finlandais mettent très fortement l'accent sur la formation des professeurs de façon à ce qu'ils soient préparés à se retrouver devant une classe.

Il est très difficile de devenir enseignant en Finlande. L'université d'Helsinki reçoit plus de

2 000 candidatures chaque année pour 200 places dans les programmes de formation à l'enseignement en écoles primaire et maternelle. Les candidats sont longuement interviewés, et leurs motivations, leur personnalité et leurs aptitudes à enseigner sont considérées comme aussi importantes que leurs qualifications universitaires. Le taux de réussite de un sur dix est à peu près équivalent à celui du droit ou de la médecine. « Ce sont les meilleurs élèves », m'a expliqué Juhani Hytönen, le responsable du département.

L'enseignement est là-bas une discipline académique comme une autre, et l'on attend des étudiants qu'ils mènent leurs propres recherches. Voilà pourquoi il s'agit d'une formation à plein temps sur cinq ans. A côté de la théorie, beaucoup de pratique, dans de vraies salles de classe ainsi que lors d'exercices de simulation. « Nous faisons des jeux de rôle pour voir comment les enfants se sentent, m'a expliqué un étudiant de seconde année, Antti Jauhiainen. Même en Finlande, il arrive qu'on puisse avoir de mauvaises expériences lors de cours ennuyeux ou avec des enseignants déplaisants, et nous cherchons à comprendre l'effet que cela a sur un enfant. »

Kirsti Santaholma dresse la liste des autres différences. La première d'entre elles est qu'en Finlande, les enseignants de chaque école ont une très grande liberté dans la préparation de leurs cours et la manière dont ils les enseignent – une liberté inimaginable en France. Tous les six ou sept ans, le Conseil national de l'Education publie un programme général qui fixe les domaines de connaissances qui doivent être traités. Il consiste en une série de buts et d'objectifs, plus que de prescriptions. La façon dont le savoir est transmis dépend individuellement des écoles et des enseignants qui décident eux-mêmes, sans ingérence des autorités centrales. Certains manuels scolaires sont disponibles, mais les enseignants sont libres de les utiliser ou pas. Kirsti Santaholma décrit le processus de la manière suivante :

> *Une des raisons pour lesquelles nous sommes forts est que nous préparons le programme. En France, tout vient de Paris. Les enseignants doivent se plier à ce qu'on leur demande de faire. Nous, nous devons penser. Le résultat est qu'en France, les enseignants suivent le programme même si les élèves n'en sont pas capables. Si seuls les meilleurs élèves parviennent à suivre, les professeurs poursuivent sur leur lancée. Nous voulons que tous les élèves apprennent. Donc, nous répétons jusqu'à ce que ce soit le cas.*

Plus révolutionnaire encore, d'un point de vue français, l'absence d'inspecteurs de l'Education nationale. Difficile à croire, mais vrai.

Les Finlandais ont commencé à réformer leur système dans les années 1970, avec un nouveau programme national. Les principaux changements sont venus d'une loi de 1985. Celle-ci changea la structure du système éducatif en décentralisant la gestion des écoles du ministère national aux collectivités locales. La loi supprima également la multitude de filières existantes afin de créer un collège et un lycée uniques. Dans le passé, les inspecteurs contrôlaient le bon usage du budget du gouvernement central, mais une fois que cet aspect financier a été modifié, ils n'ont plus eu de rôle clairement défini. « Dans les années 1980, ils continuèrent à venir à l'école, principalement pour prendre le café, mais ils furent finalement supprimés dans les années 1990 », rappelle Heikki Kokkala, instituteur dans le passé, qui travaille à présent pour la délégation finlandaise de l'OCDE à Paris.

Ne pas avoir d'inspecteurs est typique de l'approche finlandaise qui repose largement sur le principe de confiance. Après leur formation, on attend des enseignants qu'ils donnent le meilleur d'eux-mêmes dans leur travail. Contrairement à la France, on leur fournit des tas d'outils pour les aider. Les enseignants dans les écoles échangent leurs notes de cours, et au niveau national, il existe un fort réseau enseignant pour chaque matière, comme les maths ou les langues. Il existe aussi un système global de formation continue, qui permet aux enseignants de mettre à jour leurs connaissances et de partager leurs expériences avec leurs pairs.

Le Conseil national de l'Education émet également certaines remarques. Mais, encore une fois, contrairement à la France, il n'y a pas de *deus ex machina* qui détermine toutes les actions, regarde par-dessus l'épaule des professeurs et fond ensuite sur eux, en intervenant quand bon lui semble. Personne ne vient épier les enseignants ou les corriger sur ce qu'ils ne font pas correctement.

Et cela fonctionne. Selon les tests PISA, la moyenne des résultats d'un Finlandais de 15 ans est meilleure que celle de ses pairs étrangers partout ailleurs. Le pourcentage des très mauvais élèves est minime, tandis que le pourcentage d'élèves réellement excellents est élevé ; en mathématiques, ce dernier chiffre représente le double de celui observé en France. En sciences, 3,9 % des étudiants ont atteint le plus haut niveau ; en France, ce pourcentage n'est que de 0,8 %.

Comment expliquer ce phénomène ? Les Finlandais n'ont pas de doute là-dessus : il suffit d'avoir des professeurs formés à un haut niveau de professionnalisme et à qui on fait confiance ensuite. Ils sont aussi traités comme des professionnels responsables. Leur salaire est assez élevé – en moyenne 3 300 euros par mois – et la profession est largement respectée. « Les enseignants apprécient vraiment le fait qu'on ne vienne pas leur dire comment il faut enseigner. Ce sont eux qui ont la méthodologie et les compétences », dit

Leo Pahkin, un spécialiste en mathématiques au Conseil de l'Education.

Le succès finlandais dans le domaine de l'éducation est devenu manifeste avec les résultats de la première étude PISA en 2000. Ces résultats brillants se sont répétés à chaque nouvelle étude depuis. Autre fait aussi intéressant que l'excellence des notes obtenues, l'infime variation des résultats entre les écoles. Chacune d'entre elles a ses propres méthodes d'enseignement. Mais au niveau national, les résultats sont très similaires. Et cela, quel que soit le milieu socio-économique des élèves. Dans un tel contexte, le concept de carte scolaire n'a pas de sens : tous les élèves reçoivent un enseignement de qualité, quelle que soit l'école à laquelle ils sont inscrits.

Ces résultats ont attiré des centaines de visiteurs à Helsinki, des quatre coins du monde, désireux de comprendre comment les Finlandais les avaient obtenus. Parmi ces visiteurs : l'ancien ministre de l'Education Xavier Darcos. En a-t-il tiré quelque chose ? Quelques-unes des idées qu'il a essayé d'appliquer semblent en partie inspirées par la Finlande, notamment l'accent mis sur le soutien scolaire. Mais comme ces changements furent motivés d'abord par un désir d'économiser, ils ne furent que faiblement appliqués, et en conséquence, beaucoup moins efficaces que ce qu'ils auraient dû être.

Au Conseil de l'Education, le collègue de Pahkin,

Reijo Laukkanen, est responsable de l'accueil des nombreux visiteurs étrangers. Lorsqu'il explique l'absence d'inspecteurs scolaires, il affirme que la plupart des visiteurs sont choqués. « C'est épatant de savoir que l'on peut faire confiance aux enseignants », rit-il.

Visiter des écoles en Finlande est une expérience fascinante pour ceux qui sont habitués à des classes françaises statiques, car l'école finlandaise est constamment en mouvement. Les enseignants sont rarement seuls avec leur classe entière. Pour de nombreux cours, d'autres professeurs viennent les aider. Et les élèves entrent et sortent de la classe, eux aussi.

Dès qu'un enfant a des difficultés de compréhension – et cela arrive à la plupart à un moment donné ou à un autre –, il s'assoit avec l'enseignant dans un coin à l'écart ou dans une autre pièce, pendant un moment de soutien intensif, avant de retourner rejoindre ses camarades. Il y a ensuite les élèves avec des besoins spécifiques, ceux qui sont hyperactifs, dyslexiques ou qui souffrent de certaines formes de graves handicaps. Ils ont leurs propres petits mondes au sein de la salle de classe.

La plus grande activité dont j'ai été témoin fut à l'école Meriusvan à Espoo, à une demi-heure de route d'Helsinki. C'est là que se trouve la base de Nokia, le géant de la téléphonie, mais Meriusvan se situe dans la partie pauvre de la ville, près d'immeubles HLM. Selon les critères français, il s'agit d'une petite école, avec seulement 148 enfants. Elle regroupe la dernière année de l'école maternelle et les trois premiers niveaux de l'école primaire. Meri-Tuuli Varama m'a fait visiter les lieux. Il s'agit d'une enseignante qui, après cinq ans d'université, a effectué une année supplémentaire de formation, de façon à être qualifiée pour enseigner à des enfants qui ont des problèmes particuliers d'apprentissage.

Une classe de CP chante des chansons, accompagnée par un professeur au piano. Les enfants ne font que 20 heures de travail par semaine, et le reste de leur temps est occupé par le sport, les arts et les travaux manuels, mais aussi leur prise de conscience environnementale : les enfants sortent faire des promenades dans les bois alentour pour y étudier les arbres et les fleurs.

Toute la classe ne participe pas au chant lorsque j'entre. Une petite fille est assise à une table, en dehors de la salle de classe, et travaille son calcul mental avec un enseignant et un fil sur lequel ont été enfilées des perles colorées. Elle compte de 10 en 10 jusqu'à 100, et ensuite à rebours de 5 en 5, puis de 2 en 2.

Dans un autre groupe de CP, dans la classe voisine, ils s'exercent à améliorer leur écriture. Un garçon possède un coussin spécial, car il ne tient pas en place et cela l'aide à se concentrer. Au milieu de la pièce, les enfants fourmillent autour d'une table qui contient une boîte de cartes avec des images d'un côté et des mots de l'autre. Certains ont pris une carte et cherchent à décrire l'image avec des mots. D'autres colorient ou lisent un livre. « S'ils doivent s'asseoir et écouter l'enseignant, c'est ennuyeux. Mais s'ils sont actifs et en train de résoudre des problèmes, c'est amusant », explique Meri-Tuuli Varama.

Dans la salle suivante se trouve la *start class* : 9 garçons et 1 fille. Ils ont davantage de difficultés que leurs camarades avec la lecture et l'écriture et ont donc été rassemblés pour ces disciplines-là ; on leur offre un soutien intensif sur les lettres de l'alphabet. Ils rejoignent ensuite leur classe pour toutes les autres activités. Ils sont suivis de manière attentive : un psychologue se rend à l'école chaque vendredi pour les observer et voir comment ils s'en sortent.

Il est très rare de redoubler une classe en Finlande, même si cela n'est pas exclu. Quand cela arrive, c'est à ce jeune âge, car les enseignants savent d'expérience que la lecture et l'écriture sont la clef des progrès futurs. « Les enfants ont des aptitudes différentes. Certains sont plus mûrs que d'autres », explique Nina Mansikka, l'adjointe au principal. Mais redoubler en Finlande n'est rien comparé à la France. Vous n'êtes ni séparé de vos amis, ni ridiculisé. A l'école Meriusvan, il y a une classe unique de CP et de CE1 où tout le monde a le droit d'avancer à sa propre vitesse.

Quand je pose une question sur l'évaluation, Nina Mansikka sort un dessin noir et blanc d'un phare en brique. Chaque fois qu'un enfant atteint une étape de lecture, il a le droit de colorier une brique, en commençant par le bas du dessin et en montant jusqu'à la lumière. Il y a une brique à colorier lorsque vous connaissez toutes les majuscules, et une autre pour les minuscules. Une pour savoir identifier la première lettre de chaque mot et savoir prononcer la dernière syllabe. En tout, on compte 18 briques. Une fois qu'elles sont coloriées, vous devez pouvoir lire couramment. Voilà ce que l'on appelle de l'auto-évaluation, dans le style finlandais.

De retour à Helsinki, au collège Itäkeskus, les élèves ont eux aussi recours à l'auto-évaluation. Ils ne colorient pas de phares, mais essayent d'identifier leurs propres forces et faiblesses dans un rapport écrit, dont ils discutent ensuite au cours de réunions avec les parents et les enseignants.

Les écoles fournissent bien sûr toujours leurs propres appréciations. A Itäkeskus, les notes sont données deux fois par an, à la fin de chaque semestre. On ne dit pas aux élèves quels sont leurs résultats par rapport à ceux de leurs petits camarades et il n'existe pas de « moyenne de classe » grâce à laquelle ils se mesureraient les uns aux autres. A la place, cette mesure est factuelle : quelles compétences ont-il acquis et lesquelles doivent-ils encore travailler ? Sont-ils consciencieux par rapport à leur travail ou pas ? Sont-ils ordonnés ? Y a-t-il une bonne interaction avec les autres enfants ?

A l'école Meriusvan, on ne donne quasiment aucune note. On utilise d'autres méthodes. Nina Mansikka sort une fiche de travail destinée aux enseignants qui montre les progrès en lecture. Sur la fiche, un graphique mesure combien de mots par minute l'enfant peut lire à différents moments de l'année. A la fin du CP, la plupart peuvent lire environ 60 mots à la minute. Une fille est loin devant, sur le graphique, avec 140 mots. Trois enfants sont eux beaucoup plus lents avec 40 mots. Voilà un signal d'alarme pour les enseignants leur indiquant que les enfants peuvent avoir des difficultés d'apprentissage. Et ont donc besoin de davantage d'attention.

Il n'y a rien de mal à cela : Meri-Tuuli Varama explique que de temps en temps, un tiers des enfants ont des difficultés qu'ils doivent surmonter. Et lorsque cela est détecté, c'est au professeur de trouver la meilleure façon d'aider cet enfant, en travaillant avec une spécialiste comme Meri-Tuuli.

La réussite de la Finlande est parfois idéalisée, et il est facile de comprendre pourquoi. Mais parlez avec des enseignants, et vous verrez que tout n'est pas rose. A l'école Meriusvan, Meri-Tuuli Varama s'inquiète de l'augmentation des difficultés d'apprentissage. A Itäkeskus, Kirsti

Santaholma parle des difficultés quotidiennes de maintenir un haut niveau. A l'université d'Helsinki, Juhani Hytönen ne se fait pas d'illusions concernant les difficultés immenses auxquelles les écoles finlandaises devront faire face. La population scolaire finlandaise a longtemps été homogène, un facteur souvent cité à l'étranger pour justifier les bons résultats de la Finlande. Mais les choses sont en train de changer rapidement. Hytönen affirme que 10 % de la population étudiante d'Helsinki vient de familles d'immigrés, et d'ici 2020, ce chiffre devrait passer à 25 %. La Finlande a de bons résultats quant à l'intégration des immigrants à l'école, mais ce type d'afflux met tout de même une énorme pression sur le système. Et bien sûr, même les Finlandais doivent affronter des problèmes tels que la déscolarisation ou la dépression des jeunes. Toute fierté nationale et tout sentiment d'autosatisfaction furent balayés en 2007, lorsqu'un jeune de 18 ans a abattu et tué huit personnes dans une école à Tuusula, à 30 kilomètres au nord d'Helsinki.

Quoi qu'il en soit, on a là autant d'exemples dont la France devrait s'inspirer. De loin, la chose la plus importante est la combinaison de professeurs motivés et bien formés, de méthodes pédagogiques personnalisées qui ont fait leurs preuves et de remarques encourageantes, utiles à tous. Ce style d'enseignement aide les élèves les plus faibles à sortir la tête de l'eau et construit leur confiance en eux tout en améliorant leur savoir. Il permet aussi aux meilleurs et aux plus intelligents d'atteindre des sommets.

Avant de quitter Meriusvan, je demande à Nina Mansikka comment elle règle « l'échec » à l'école. Elle ne comprend pas la question, qui est trop française. Je la reformule en demandant quelle est la stratégie pour parvenir à traiter avec des enfants qui ont des difficultés d'apprentissage. Nina Mansikka me donne alors une courte réponse : « Si un enfant n'apprend pas grâce à la manière que vous avez d'enseigner, vous devez la modifier. » C'est aussi simple que cela, et aussi compliqué.

5

La fronde de Clarensac

PEU DE FRANÇAIS connaissent aussi bien – ou admirent autant – le système éducatif finlandais que Paul Robert. Il a effectué plusieurs voyages pour visiter des écoles, aussi bien dans la région d'Helsinki qu'en Carélie du Nord. Ebloui, il a écrit un livre intitulé *La Finlande : un modèle éducatif pour la France ?* (ESF, 2008). En un mot, il y conclut que la France a réellement beaucoup à apprendre de la Finlande, en dépit des divergences culturelles entre les deux nations.

A la différence des autres partisans de l'enseignement à la finlandaise, Paul Robert ne s'est pourtant pas contenté de s'y intéresser sur un plan purement théorique. Il a tenté de faire un grand pas en avant. Principal au collège de Clarensac, vingt kilomètres à l'ouest de Nîmes, il a décidé dans un accès de courage, ou peut-être de folie, d'introduire quelques-unes des pratiques d'éducation finlandaises qui lui semblaient les plus judicieuses. Il a tenu tout particulièrement à apporter de l'aide aux élèves de 5e et de 4e qui bataillaient pour rester à niveau. De manière plus générale, il a aussi tenté de créer « une culture plus à l'écoute des élèves avec moins de sanctions et de punitions, et une approche la plus individualisée possible ».

Ce qui est arrivé par la suite est emblématique de la difficulté à changer quoi que ce soit au sein de l'enseignement français. Il ne s'agit pourtant pas d'une histoire décourageante de plus, car c'est aussi une histoire porteuse d'espoir ; bien que Paul Robert ait échoué, cela n'a pas été le cas de son expérience.

L'ouverture de Paul Robert à l'expérimentation de méthodes différentes s'explique peut-être par son parcours atypique. Né en Algérie en 1957 au sein d'une famille pied-noir, son premier poste d'enseignant l'a emmené à Bagdad, au centre culturel français. Quand il est revenu en France, en 1981, il a étudié l'archéologie pendant un an, et a également obtenu un diplôme de journalisme. En fin de compte, il a décidé de se consacrer à l'enseignement et a occupé des postes dans des écoles de l'Oise et de la région parisienne avant de mettre le cap au sud, à Nîmes. Il a obtenu là-bas son agrégation de lettres classiques, et en 2000, il a réussi le concours pour devenir chef d'établissement. A cette époque déjà, dit-il, il avait envie « de faire des choses un petit peu nouvelles ».

Grand et maigre, avec une pointe de blanc dans les cheveux, il m'a dit quand je suis allé le voir en juin 2009 que l'idée qu'il se faisait de l'enseignement avait subi une évolution importante. Quand il a débuté dans la profession, il s'inscrivait parfaitement dans la tradition française, à savoir : « un rejet des élèves qui ne [lui] convenaient pas. C'était leur faute ». Avant même ses voyages en Finlande, sa pensée avait déjà évolué. Il a lu le philosophe indien Jiddu Krishnamurti et s'est dit séduit par les écrits du psychologue américain Carl Rogers, notamment *Liberté pour apprendre*. Dans ce classique de 1969, Rogers soutient que seuls ceux qui ont appris comment apprendre et qui aiment cela sont des gens véritablement instruits.

Les méthodes de Paul Robert ont changé au même rythme que ses conceptions. Il a commencé à porter plus d'attention aux relations humaines au sein de la classe et à l'idée que les élèves avaient besoin de plus d'encouragements. Un jour, lors d'une réunion de chefs d'établissement, il a rencontré le directeur du lycée français d'Helsinki qui lui a décrit le fonctionnement des écoles en Finlande. Cela l'a intrigué. En avril 2006, dès que l'opportunité de visiter le pays au sein d'un groupe d'enseignants venus de toute l'Europe s'est présentée, il l'a aussitôt saisie.

« La Finlande m'a complètement épaté, dit-il. Il y a une très grande cohérence du système et il obtient l'adhésion de tous ceux qui y participent. » Il a insisté plusieurs fois sur ce point au cours de nos conversations. Son livre fait partie de la collection dirigée par Philippe Meirieu, le conseiller de Lionel Jospin pour les réformes de 1989, mais Paul Robert précise qu'il n'est soumis à aucune obédience particulière. En effet, l'une des grandes critiques qu'il fait à l'Education nationale concerne le caractère polémique du débat qui l'entoure et la virulence des différentes factions antagonistes.

A Clarensac, il a eu la possibilité de recommencer à zéro. Le collège était neuf, ouvert seulement depuis 2003, et il était son premier principal. Dès le début, il a exhorté les enseignants à moins de sévérité et a tenté de les persuader d'abandonner le système des sanctions et des retenues. Pour la rentrée 2005-2006, il a obtenu du conseil d'administration l'approbation de son innovation la plus importante : un « module de renforcement des connaissances au cycle central ». Le concept de ce module était d'apporter une aide personnalisée aux élèves qui avaient le plus de mal à suivre le programme de 6e.

S'inspirant du modèle finlandais, Paul Robert a refusé de les laisser couler. La première année, 12 élèves en difficulté sont passés en 5e au lieu de redoubler. Pour les quatre matières principales, français, mathématiques, anglais et histoire-géographie, ils ont eu cours dans le cadre du module spécial, où ils ont reçu un enseignement hautement personnalisé, adapté à leurs difficultés. Pour les autres matières, arts, sciences, EPS et technologie, ils réintégraient la classe générale.

Le soutien des professeurs était essentiel au succès de l'expérience. Ils ont eu énormément de travail car les lacunes des élèves étaient importantes. D'après le bilan de la première année rédigé par les professeurs, les problèmes rencontrés incluaient « une qualité de graphisme très mauvaise, une orthographe souvent limitée à une expression phonétique ou fantaisiste, une maîtrise très insuffisante des structures grammaticales et une absence de repères culturels de base ». En d'autres mots, le profil type d'un groupe de *nuls*.

La première étape cruciale fut de persuader les jeunes eux-mêmes qu'ils n'étaient pas nuls ; une étiquette dont Paul Robert a dit qu'elle « leur collait, semblait-il, déjà définitivement à la peau ». D'après les professeurs :

> *Ce qu'ils ressentent en général par rapport à l'école, c'est d'abord un rejet. Ce rejet est facilement explicable par leur situation d'échec, sanctionnée par un redoublement, stigmatisée lors de chaque passage en classe supérieure. Cette impression de départ, cette vision de l'école qui est la leur depuis les débuts de l'apprentissage de la lecture vient encore être confortée, puisqu'ils sont tellement « mauvais »*

qu'on a dû les extraire de leur classe de départ pour les intégrer au module.

Une petite révolution dans les méthodes d'enseignement était nécessaire. Voyant combien les élèves étaient allergiques au système de notation traditionnel, le professeur de maths l'a remplacé par un système de points colorés, deux verts et deux rouges. Cela montrait à l'élève où il se situait par rapport à un objectif défini avant l'évaluation. Ainsi, un point vert indiquait que l'objectif était atteint malgré une maîtrise imparfaite. Un point rouge indiquait que même si l'objectif n'était pas atteint, l'élève n'en était pas très loin.

En anglais, le professeur s'est d'abord concentré essentiellement sur l'amélioration des performances des élèves à l'oral, car leur niveau à l'écrit était très faible. En histoire-géo, on a cherché à déterminer quels aspects du programme étaient les plus à même d'intéresser les élèves. La charge de travail à la maison a été fortement réduite et l'on a cessé de tenir compte des difficultés d'expression au cours des évaluations.

Ce n'était pas parfait, mais cela marchait. La plupart des élèves ont fait des progrès et ont commencé à regarder l'école sous un autre jour. Au terme de la première année, les enseignants ont écrit : « Alors oui, on s'est amusé, pour la première fois, au collège. »

Ce programme s'est poursuivi encore deux

ans, mais il est devenu plus compliqué de constituer les classes. Paul Robert, qui avait besoin de fonds, a avancé comme argument que l'école économisait en évitant les redoublements, mais l'académie de Montpellier a refusé d'accéder à sa demande. Le module a été maintenu pour les élèves entrant en 5e mais ceux entrant en 4e n'ont pu bénéficier que d'une version réduite du dispositif. Paul Robert et ses professeurs ont continué malgré tout. Dans son bilan de la troisième et dernière année, en 2007-2008, Paul Robert a écrit que les deux tiers des 22 élèves de 4e et de 5e concernés ont fait des progrès, dont 6 « de façon très sensible voire spectaculaire ».

Rémi Angot était le professeur de maths. Il m'a dit que le résultat a été « indéniable sur le plan humain. Il n'y avait plus d'absentéisme, plus de violence et les relations entre élèves et enseignants étaient bonnes ». Sur le plan scolaire, les résultats ont été plus mitigés. Une partie des élèves avait de grosses difficultés d'apprentissage. Certains étaient atteints de dyslexie sévère. Quelques-uns ont continué de faire l'école buissonnière ; un d'entre eux avait un problème d'alcool. Malgré tout, Rémi Angot estime que « de les voir actifs a été une première victoire. Ils ont cherché, fait des exercices, posé des questions. Certains ont validé un nombre important de compétences et ont acquis un niveau supérieur à ce que demande le socle commun ».

Les parents d'élèves étaient eux aussi satisfaits. Sur 12 parents, 10 ont répondu, au cours d'un questionnaire, que les nouvelles mesures étaient « positives ». Leurs commentaires soulignaient avant tout que leurs enfants avaient repris confiance en eux. L'un d'entre eux a écrit : « Des résultats meilleurs, une confiance retrouvée, un intérêt pour les études, l'envie de poursuivre ses études. »

Mais un problème survint. Il venait des autres professeurs du collège de Clarensac. Plusieurs d'entre eux détestaient ce module et ont commencé à comploter pour en venir à bout. Ensemble, ils ont réussi à le saboter.

« Il y a eu une fronde », dit Paul Robert.

Lors de ma visite dans ce collège, je me suis entretenu avec plusieurs professeurs dont certains qui soutenaient le projet, et d'autres qui le critiquaient ouvertement. En tout, six d'entre eux approuvaient vivement le dispositif de Paul Robert tandis que trois ou quatre s'y montraient franchement opposés. Les autres constituaient une majorité silencieuse, un grand nombre désapprouvant le nouveau système mais refusant de prendre position ouvertement. « Le personnel était assez divisé », reconnaît Rémi Angot.

Qu'est-ce qui a suscité une telle controverse ? Certains professeurs n'ont pas apprécié que l'école concentre ses efforts sur ce module au détriment d'autres projets qui leur tenaient à cœur. On a insinué que cela engloutissait les fonds de l'école, ce qui était pourtant faux. D'autres craignaient que cela n'entraîne une baisse du niveau, ou trouvaient injuste que les « mauvais élèves » bénéficient de toute l'attention alors que les bons l'auraient peut-être davantage méritée.

Une des opposantes avec laquelle je me suis entretenu m'a dit que Paul Robert les avait froissés, elle et d'autres professeurs, en se permettant de leur faire la leçon concernant la nécessité de changer leurs méthodes. « Il y avait bien trop de réunions, on se noyait sous les statistiques », a dit cette enseignante.

Les résultats mitigés aux évaluations ont fourni des munitions aux détracteurs du dispositif. Alors qu'après deux ans de soutien personnalisé, le premier groupe d'élèves avait progressé, il restait en retard par rapport au niveau moyen requis à la fin de la 4e. En 3e, ils réintégraient complètement les classes traditionnelles sans passer par aucun dispositif d'adaptation, faute de moyens. La transition s'est avérée difficile et tous ont souffert du décalage. Un des parents a écrit de son fils, « il a l'impression d'être abandonné. Il a perdu le moral et accumule les mauvaises notes ».

Deux de ces élèves ont malgré tout réussi à décrocher leur brevet des collèges à la fin de la 3e, ce qui n'aurait certainement pas été possible sans l'enseignement spécialisé dont ils avaient bénéficié pendant les deux années précédentes. Les détracteurs se sont malgré tout emparés de la difficulté de se maintenir à niveau rencontrée par la majorité de ces élèves, pour prouver que le dispositif avait été un échec.

Paul Robert reconnaît que la réintégration des élèves en classe de 3e ordinaire a posé certains problèmes, mais il soutient qu'avec un peu plus de flexibilité, de bonne volonté et d'argent, ça aurait marché. On ne lui a pas donné l'opportunité de réussir. Pendant deux ans, l'inspection académique a toléré la mise en place de ce programme spécial. Si elle n'était pas prête à lui allouer des fonds supplémentaires, elle a tout de même validé l'expérience en tant que « projet expérimental » en 2007. Mais l'académie a dû trancher face à la multiplication des résistances rencontrées par le dispositif et au décuplement de la colère des profs. A la suite des « épisodes houleux » qui ont eu lieu au cours des réunions du personnel, le principal a donc reçu un appel de l'académie. Le message était le suivant : « Laissez tomber le module, il crée trop de divisions. »

Paul Robert a été profondément bouleversé par cette nouvelle. « Il l'a très mal vécu, aussi bien sur le plan professionnel que personnel », témoigne Laura Metens, première adjointe au principal. Il est alors resté à Clarensac un an de plus, mais il est parti à la fin de l'année scolaire 2008-2009 pour intégrer un poste dans un autre collège, à Uzès. « On s'est heurté à des résistances extrêmement fortes, m'a-t-il dit avant de partir. Quelques profs avaient bien du mal à concevoir que des élèves en grave échec puissent se remettre en selle. C'est comme si les élèves étaient prédéterminés, en bien comme en mal, et point final. »

*

J'ai revu Paul Robert à l'ambassade de Finlande à Paris, quelques mois après notre rencontre à Clarensac. Il avait retrouvé le moral. Il avait débuté au sein de son nouveau collège et il tenait une coupe de champagne à la main. L'ambassade l'avait invité à déjeuner pour célébrer la réédition de son livre. Le conseiller aux affaires culturelles, Christian Sundgren, en a fait l'éloge dans un bref discours et a suggéré en plaisantant qu'à la prochaine édition, Paul Robert supprime le point d'interrogation à la fin du titre pour ne plus laisser que *La Finlande, un modèle educatif pour la France*. Une douzaine d'entre nous ont par la suite été conviés à se mettre à table et on nous a servi une soupe de champignons et saumon, tandis que Paul Robert nous parlait des différences entre la Finlande et la France. Ce qu'il aimait du système finlandais, c'est qu'il n'est pas « figé et crispé, mais souple et ouvert au changement ». La France, a-t-il conclu, malheureusement, s'inscrit dans une importante tradition pédagogique, mais « qui n'a pas permis d'irriguer le pays ».

Il serait aisé de décrire Paul Robert comme un Don Quichotte du système éducatif, combattant en solitaire dans une quête sans victoire possible. Et pourtant, malgré toutes ses déceptions personnelles, Paul Robert a bel et bien contribué à irriguer le pays, à sa manière. Sa grande erreur, ce ne fut pas de tenter d'innover, mais bien de ne pas avoir convaincu d'abord l'académie ou une majorité d'enseignants de le soutenir avant de mettre en place son projet. Il est malheureusement trop tard pour revenir en arrière. Si le module a réellement permis de changer les choses, il n'y a pas eu de miracle. Toutefois, cette méthode a permis à beaucoup d'élèves de progresser, en particulier aux deux qui ont obtenu leur brevet. Nombreux sont les élèves qui ont retrouvé pour un moment le goût de l'école. Certains ont peut-être même cessé de se considérer comme des *nuls*, ne serait-ce qu'un temps.

Dans le questionnaire auquel ont répondu les parents, une majorité a remarqué une différence significative dans l'attitude de leur enfant par rapport au travail scolaire. L'une a écrit : « Elle a repris confiance en elle. » Un autre : « Elle a envie de travailler et a de meilleurs rapports avec les professeurs qui ont envie d'aider ces jeunes. Chapeau et merci à eux ! »

Il serait intéressant de se demander si l'on ne

pourrait pas reproduire un schéma similaire à une plus grande échelle en France, avec l'appui des académies cette fois, et non contre elles. Si la réponse est oui, cela ne pourra se faire que grâce à une nouvelle génération d'enseignants plus ouverte au changement. Des gens comme Rémi Angot et deux de ses collègues qui ont participé à l'expérience avec enthousiasme. Quand on évoque le module avec eux, la première chose dont ils parlent, c'est le bénéfice qu'ils en ont retiré pour eux-mêmes. Certaines techniques d'enseignement individualisé qu'ils ont expérimentées sur les élèves en difficulté se sont avérées tellement profitables qu'ils s'en servent maintenant avec toutes leurs classes. Comme ils l'ont écrit dans leur bilan de la première année :

> *La véritable conclusion, pour nous, reste, enfin, la satisfaction d'avoir donné une année scolaire réussie à des élèves auxquels ce n'était jamais arrivé ; nous avons appris, ils ont appris.*

6

Les belles...

LA PREMIÈRE scène du chef-d'œuvre de Stanley Kubrick sur la guerre du Vietnam, *Full Metal Jacket*, montre un groupe de nouvelles recrues du corps des Marines dont on passe le crâne à la tondeuse électrique. La scène se déroule à Parris Island, base des Marines en Caroline du Sud, où les jeunes incorporés se préparent à la guerre. Pendant les quarante minutes qui suivent, l'action porte sur celui dont le métier est de briser ces hommes, le brutal sergent Hartman, interprété par R. Lee Ermey. Celui-ci ne parle pas, il hurle. Il insulte les recrues, les traite de bons à rien et les ridiculise en les qualifiant de « tapettes ». Au moindre signe de rébellion, il les frappe. Il crie : « Vous n'êtes pas ici pour vous amuser, bande de larves ! Vous allez me détester parce que je suis sévère, mais plus vous me haïrez, plus vous progresserez. »

Il n'y a pas grand-chose de commun entre Parris Island en 1967 et *Les Editeurs*, café huppé du VIe arrondissement de Paris où je suis assis en compagnie de trois étudiantes en master à Sciences-Po, par une chaude soirée de juin 2009. Je les ai invitées à prendre un verre, car avant d'intégrer Sciences-Po, elles ont étudié au sein des meilleures classes préparatoires aux grandes écoles. Au cours de mes recherches, il m'est apparu évident que si je voulais réellement comprendre le mode d'enseignement à la française, je devais me faire une idée plus précise du fonctionnement de ces classes.

Il est de notoriété publique qu'en prépa, l'on cultive un perfectionnisme sévère qui détermine le reste du système scolaire. J'ai eu entre les mains beaucoup de livres prodiguant des conseils sur les moyens d'intégrer la prépa et de gérer son stress une fois qu'on y est arrivé, mais je voulais en discuter de vive voix avec ces trois personnes qui l'ont réellement vécu.

Pendant que nous sirotons notre Perrier, les jeunes femmes commencent à raconter leur expérience. Au premier abord, elles semblent enthousiastes. Ça a été dur, mais ça en valait la peine, insistent-elle, les yeux étincelants à l'évocation de leurs souvenirs. Mais alors que, continuant à discuter, elles commencent à analyser plus profondément ce par quoi elles sont passées, j'ai soudain un flash – et quelques-unes de ces scènes de *Full Metal Jacket* jaillissent dans ma tête.

Bien évidemment, les méthodes employées

pour préparer des étudiants aux concours de Sciences-Po, de l'Ecole polytechnique ou de l'Ecole normale supérieure sont bien différentes de l'entraînement militaire de nouvelles recrues pour la guerre du Vietnam. Et pourtant, j'ai été frappé par la part d'eux-mêmes que ces jeunes doivent sacrifier s'ils tiennent à rester jusqu'au bout. Cela a été une immense épreuve, pas seulement à cause de la charge de travail, mais aussi à cause de la pénibilité morale de ce que ces étudiantes ont dû endurer. Même si mes réminiscences de Kubrick sont outrancières et que ces jeunes femmes n'ont jamais eu à côtoyer de sergent Hartman – d'après leur récit, beaucoup des professeurs se montraient à l'écoute –, elles ont néanmoins accepté de se transformer en machines à penser déshumanisées pendant deux ou trois ans.

Toutes les trois ont décrit leur angoisse à l'idée de perdre une seule précieuse seconde, vivant sous la tyrannie de la pendule. Elles n'avaient pas de vie en dehors du travail, pas le temps de faire du sport ou d'aller voir des films, sans parler d'avoir un copain. L'une d'entre elles a raconté qu'elle perdait patience lorsqu'elle voyait sur le quai du métro qu'il y avait quatre minutes d'attente. Une autre profitait de ses trajets à pied pour appeler ses parents, dans le but de gagner du temps. « La pression était permanente et l'on ressentait un fort sentiment de culpabilité si l'on ne rentabilisait pas chaque moment. » L'une a fait usage d'amphétamines pour rester éveillée plus longtemps. Une autre prenait des somnifères car elle avait des difficultés à dormir. Toutes carburaient à la caféine.

Ces trois jeunes femmes ont une vingtaine d'années, elles sont indiscutablement brillantes, ont une capacité remarquable à comprendre et analyser n'importe quel sujet. Dans tous les pays, elles feraient partie de l'élite. Elles sont également affables, drôles et charmantes (je conserverai leur anonymat pour ne pas les gêner). Mais leur ego en a pris un coup.

Elles arrivaient de lycées où elles étaient en tête de classe, et subitement, elles obtenaient des notes de 2 ou 3/20. « Ce fut un grand choc », dit l'une d'elles. Cette notation si sévère les a incitées à travailler plus dur – obtenir un 8 devenait une vraie victoire pour elles. Mais l'une déclare que ce mode de notation s'inscrit dans une logique d'« infantilisation » des étudiants.

Elles en vinrent alors à évoquer les cicatrices qui subsistaient à la suite de cette expérience. Elles pleuraient quand elles récoltaient de mauvaises notes. L'une s'est fait de sa prof d'espagnol, qui était particulièrement sévère, une ennemie jurée. Aujourd'hui encore, plusieurs années après, les périodes d'examens sont pour elles synonymes d'un état de stress paroxystique. L'une d'entre elles qui avait obtenu son baccalauréat avec mention très bien et les félicitations du jury a été admissible au concours de l'ENS, section Lettres et Sciences humaines. Au beau milieu de son oral de vingt minutes, elle s'est sentie étouffer et est sortie en pleurs. Cela a mis fin à ses rêves : au lieu d'intégrer l'ENS, elle a fait un master en philosophie à l'université de Nanterre. Pendant qu'elle racontait cette histoire, on a vu sa gorge se serrer à nouveau.

J'ai demandé si elles avaient créé des liens avec leurs camarades de prépa, si ce climat difficile avait été propice aux amitiés durables. A ma grande surprise, elles ont toutes répondu que non. Cette expérience n'a pas contribué à leur communiquer un sentiment d'appartenance à un groupe commun ; au contraire, elle les a isolées. Au fond, elles étaient en compétition les unes contre les autres pour décrocher une place dans les meilleures grandes écoles. Il y a ainsi peu d'espace pour une quelconque solidarité.

La discussion a été passionnante. Le fonctionnement de la prépa s'est avéré encore plus austère et éprouvant que je l'avais imaginé. On prend un groupe de jeunes gens particulièrement brillants, on les enferme ensemble à l'écart du monde pendant deux ou trois ans et on les pousse au bout de leurs limites. Si vous survivez, vous en sortez renforcé et vous vous identifiez au système en dépit des épreuves subies. Si l'on était cynique, on pourrait décrire ce processus comme une forme de syndrome de Stockholm, au cours duquel les otages en viennent à s'identifier à leurs ravisseurs. J'ai constaté avec certitude que cette expérience a eu une influence très importante sur leur formation. Une partie de ceux qui passent par la prépa deviennent par la suite professeurs. J'ai donc fini par comprendre d'où leur venait cette idée que 12/20 pouvait être considéré comme une bonne note.

En repensant à cette conversation, ce qui me frappe tout particulièrement, c'est combien la France diffère des autres pays dans sa manière de sélectionner et de former ses élites. Dans les pays anglo-saxons, les facultés intellectuelles sont importantes, mais ne sont pas tout. La personnalité, la coopération, les centres d'intérêt et les expériences personnelles qui contribuent à former le caractère sont tout aussi importants. Alors que les étudiants français les plus brillants sont coupés du monde, beaucoup de leurs contemporains britanniques ou américains partent découvrir le monde en prenant une année sabbatique à l'étranger, entre le lycée et l'université. Cela leur permet de gagner en maturité dans d'autres domaines que la connaissance purement intellectuelle – et de prendre du bon temps.

Cette année sabbatique, appelée *gap year*, est une parenthèse utile. De plus en plus de jeunes adultes en tirent le meilleur parti possible. C'est l'occasion pour eux de faire toutes sortes de choses, comme travailler dans une station de ski au

Canada ou encore aider une ONG à reconstruire des maisons dans une zone sismique en Asie. J'ai passé plusieurs mois en Allemagne. Un de mes frères a gagné l'argent de son voyage en Amérique latine en travaillant sur un bateau. Son fils a enseigné l'anglais à des enfants au Vietnam. Même le prince Harry d'Angleterre a travaillé dans un orphelinat d'Afrique du Sud pour aider les enfants atteints du sida. Parfois, ce travail est rémunéré, parfois non. Il est néanmoins toujours payant en matière de formation du caractère, de développement de la maturité et de la confiance en soi.

Quand mes étudiantes de Sciences-Po et moi avons discuté de ces différentes façons de passer l'année après le bac, l'une d'entre elles a parfaitement résumé la situation : « Dans les autres pays, on s'enrichit soi même en s'ouvrant au reste du monde. Le système français nous demande de construire notre personnalité en nous fermant au monde extérieur. » Tout à fait le type de réponse intelligente que l'on est en droit d'attendre de la part de quelqu'un dont les capacités d'analyse ont été rudement aiguisées.

Entre ces deux modèles, un système est-il meilleur que l'autre ? J'ai posé cette question à deux personnes différentes. La première d'entre elles fut Marilyn McGrath. Il s'agit de la directrice aux admissions des étudiants de Harvard, la plus prestigieuse des universités américaines. Elle m'a dit que Harvard a une politique claire en matière de sélection. Certes, les résultats académiques sont importants, mais la sélection ne s'y arrête en aucun cas. Harvard s'intéresse aussi aux qualités personnelles qui pourraient faire de tel ou tel étudiant une célébrité, plus tard, dans la vie. On entend par là des qualités insaisissables, comme l'énergie ou l'ambition, une passion hors du commun ou un dévouement particulier à telle ou telle grande cause. Peut-être êtes-vous un clarinettiste virtuose ou un champion d'escrime ? « Les gens qui intègrent notre université ne sont pas des têtes plantées sur des bâtons. Ils investissent les lieux avec leur corps tout entier », m'a dit McGrath.

Pour preuve, elle m'a donné des statistiques. Pour l'année universitaire 2009-2010, 774 des postulants à Harvard ont obtenu un score sans faute à leurs deux copies d'examen de fin d'études standard pour toute l'Amérique, le Test d'aptitude scolastique (SAT). En d'autres termes, ils auraient eu l'équivalent de 20/20 au baccalauréat (qui, rappelons-le, a un autre, plus haut, niveau de difficulté). Si Harvard était une prépa, elle se battrait pour les avoir tous. Mais l'université en a sélectionné 197, seulement un sur quatre.

Pourquoi ? « Nous avons trouvé d'autres candidats qui nous ont semblé meilleurs », a dit Marilyn McGrath. Des gens avec plus de personnalité, qui ont de l'intérêt pour des domaines dans lesquels ils excellent et qui leur permettent de se démarquer, annonçant un potentiel énorme pour progresser *après* Harvard. Les résultats aux examens constituent « un critère très mauvais pour distinguer les gens les uns des autres », a-t-elle dit. « Nous utilisons les résultats comme un cadre qui nous aide à déterminer un peu mieux le niveau académique du candidat. Mais pour nous, ces résultats seuls ne sont pas déterminants. »

J'ai aimé son image des « têtes plantées sur des bâtons », et les critères si différents utilisés par Harvard pour choisir ses étudiants m'ont fait douter quant à la nature des élites françaises. Il ne fait certes aucun doute que les meilleurs diplômés des grandes écoles françaises sont très impressionnants. L'un de mes amis, doyen des partenaires d'un grand cabinet juridique américain en Europe, dit que d'après son expérience, les meilleurs diplômés d'HEC et des autres grandes écoles sont dotés d'une culture générale « exceptionnelle », plus encore que les diplômés d'Oxford. Ils sont remarquablement doués quand il s'agit d'évaluer des situations difficiles, de faire la synthèse d'une discussion ou de rassembler leurs analyses en dix pages. Ils sont en revanche moins bons, d'après lui, lorsqu'on leur demande de faire des suggestions concises et pragmatiques qui seront directement utiles aux clients du cabinet. Ils sont également très mauvais lorsqu'il leur faut travailler en équipe.

Je m'interroge d'ailleurs sur la relation entre ce système d'éducation et la « pensée unique » parmi les élites françaises. J'ai été constamment le témoin de conversations qui déploraient cet état des choses depuis que je suis arrivé ici, en 2002. Je ne suis pas convaincu que la pensée unique existe vraiment, mais si c'est le cas, ne devrait-on pas incriminer la formation des étudiants français qui est la même pour tous et ne leur permet pas de développer des vues plus personnelles à partir d'une expérience individuelle spécifique à chacun ?

J'interroge maintenant le deuxième expert, une personne que tout bon parent d'élève français voudrait avoir pour meilleur ami : Patrice Corre, proviseur du lycée Henri-IV, parmi les plus anciens et les plus prestigieux des établissements de prépa en France. Avant de le rencontrer, je m'attends à ce qu'il prenne parti avec ardeur en faveur du système des prépas, et c'est ce qu'il fait. Pourtant, une bonne partie de ce qu'il avance est tout à fait inattendu de sa part. Par son discours, il fournit la preuve très encourageante que Paul Robert n'est pas seul à se battre.

Même à Henri-IV, les méthodes de pédagogie à l'ancienne qui ont toujours cours dans l'enseignement français suscitent une sérieuse contestation, et voient naître des tentatives encore fragiles – et controversées – pour faire évoluer les choses.

Pour arriver jusqu'au bureau de Corre, je passe sous le portail monumental de la rue Clovis, juste en face du Panthéon, et je monte une volée de marches jusqu'au premier étage. L'endroit ressemble à une faculté d'Oxford, avec une grande cour au centre, des bâtiments anciens et une chapelle. Corre me souhaite gentiment la bienvenue et commence par me faire un historique des grandes écoles, évoquant leurs racines militaires dans la France du XVIIIe siècle, lorsque l'armée a eu besoin d'artilleurs et d'ingénieurs. Peut-être qu'avec mes réminiscences de *Full Metal Jacket*, je n'étais pas tellement hors sujet.

Je commence par évoquer les reproches que l'on fait communément à la prépa, critiquée comme facteur de stress trop important. Sa réponse est prévisible : de tels propos ne sont qu'exagération. « Vous avez des élèves qui travaillent énormément, oui, mais cela reste supportable », dit-il. En vérité, insiste-t-il, apprendre à se dépasser fait partie d'une formation personnelle vraiment utile.

J'évoque alors la *gap year* anglo-saxonne, et, première surprise, il se montre bien disposé à l'égard de cette pratique. Chaque année, plusieurs élèves d'Henri-IV perdent leur motivation ou font face à un stress trop important. Alors Corre les encourage à prendre du temps pour eux. Il leur garde une place s'ils ont passé leur année à faire quelque chose de productif.

Il me raconte l'histoire d'un jeune prodige en

mathématiques qui est parti plusieurs mois faire du trekking dans l'Himalaya, ou encore celle d'un étudiant en deuxième année qui a traversé une crise personnelle autour de la Toussaint. Après avoir gagné de l'argent en faisant la plonge dans un restaurant, il a passé le reste de l'année en Australie à étudier la culture aborigène. « Chaque fois que je l'ai fait, ça a été positif, me dit Corre. Je trouve qu'on est trop coincé en France. Il n'y a pas besoin d'être normalisé. Ce n'est pas bon. On ne doit pas former des clones. »

J'ouvre de grands yeux en entendant cette autocritique, et je lui demande alors son avis concernant le système de notation. Deuxième surprise : il ne le défend pas. Au lieu de cela, il parle des problèmes que pose une notation indexée sur le classement au concours plutôt que sur les aptitudes réelles de l'élève. Il signale qu'avec un 5 ou un 6 à Henri-IV, il est tout à fait possible d'intégrer une bonne école, mais rajoute, « je ne suis pas convaincu que ce soit une bonne façon de faire, parce que ce n'est pas très bon pour le moral des élèves ».

Désormais, l'introduction d'un système de notation standardisé à l'échelle européenne, qu'on appelle ECTS (Système européen de transfert et d'accumulation des crédits), met le mode de notation français à rude épreuve. Les ECTS ont été institués par la Commission européenne et suivent une échelle classique allant de A à E. Si vous voulez étudier dans un autre pays d'Europe, comme le font beaucoup d'étudiants français de nos jours, ces notes standardisées sont cruciales. Mais de même que les autres prépas aux grandes écoles, Henri-IV a du mal à adapter son échelle de notation à celle des ECTS. Corre me donne l'exemple d'un brillant étudiant de Polytechnique qui souhaiterait faire son doctorat à Rome. « Il faut faire une lettre spéciale pour expliquer que pour tel élève qui a 10/20, on peut mettre un A. »

Une ou deux prépas ont déjà adopté l'échelle ECTS en remplacement de l'ancienne notation. Corre dit que l'on « gagnera du temps si l'on s'y met tout de suite ». Je lui ai alors demandé : « Pourquoi Henri-IV ne change-t-il pas ? » Ma plus grande surprise depuis le début de l'entretien vient de sa réponse : « Nous allons peut-être y venir. »

Lui aussi pense que le système d'évaluation en cours dans les écoles françaises est périmé. « Tout notre système d'évaluation suit un mode traditionnel qui pointe la faute plutôt que la réussite. » Il est difficile de changer les choses, car il n'est pas dans les habitudes de la culture française d'évaluer les compétences. Certaines personnes soutiennent néanmoins ce nouveau système de notation, notamment parmi les proviseurs et les autres chefs d'établissement. « C'est une idée qui avance bien. » Comme toujours, le problème est de réussir à persuader les enseignants d'adopter cette nouveauté. « Dans le corps professoral, la reproduction des vieux modèles reste forte. » Quoi qu'il en soit, il dit être sûr de lui :

> *C'est la voie de l'avenir. Je crois qu'on peut continuer d'avoir un système de formation par classes préparatoires, mais ce système, comme tout corps vivant, doit évoluer pour rester en vie. Et l'évolution doit se faire dans la notation, dans la prise en compte des compétences et de critères humains.*

Je n'en crois pas mes oreilles. Je suis ici au cœur de l'institution qui est elle-même au sommet de la pyramide scolaire, dans l'établissement dont la tradition pédagogique remonte à 1796, dans le lycée qui a formé Viollet-le-Duc, Haussmann et Sainte-Beuve, et j'écoute le proviseur me raconter qu'il aimerait faire évoluer son lycée vers une culture plus proche de l'esprit anglo-saxon. C'est comme si le sergent Hartman distribuait soudainement des nounours à ses recrues, et faisait preuve de tendresse à leur égard.

Il n'est pas évident que Corre et les collègues qui partagent ses conceptions gagneront leurs batailles, et je quitte cet entretien sans la certitude qu'il mettra de l'ardeur au combat. Henri-IV est une institution qui occupe véritablement le devant de la scène ; chaque mutation qui l'éloigne de la tradition est observée à la loupe –

et inévitablement critiquée. Et pourtant, je suis persuadé de la sincérité de Corre. Ce sont ses antécédents qui m'en convainquent : en 2001, Henri-IV a été un pionnier dans son ouverture à une plus grande diversité sociale et ethnique.

Tout a commencé après que Sciences-Po a annoncé sa décision de créer une voie d'accès à des lycéens issus d'établissements « difficiles » de ZEP. Cette annonce a été dénoncée avec véhémence et qualifiée de « discrimination positive » à la mode américaine. Mais très rapidement, deux professeurs d'Henri-IV, Pascal Combemale et Olivier Coquard, qui avaient de l'expérience dans l'enseignement en établissements de ZEP, ont volé au secours de Sciences-Po dans un éditorial du journal *Le Monde*. Ils ont mis en évidence un net déclin des candidatures de jeunes issus de milieux défavorisés et de zones difficiles. Ils se sont attaqués à cet état de fait, le qualifiant d'« apartheid scolaire ». Pour surmonter cette discrimination, ils suggéraient la création de classes spéciales de transition pour les jeunes brillants issus de « zones sensibles », des classes de :

> *« prépa à la prépa », qui serviraient en quelque sorte de sas, de transition, pour des élèves décidés à travailler, encadrés par des professeurs volontaires qui connaissent les deux « mondes », le but étant de leur redonner un maximum de chances à un moment crucial de*

leur parcours. Cette mise à niveau concernerait autant les savoirs, notamment la culture générale, que les savoir-faire, qu'il s'agisse de l'expression, écrite et orale, ou des méthodes de travail[1].

Ce projet a bel et bien été mis en œuvre. En dépit d'inévitables critiques, Henri-IV a lancé une première classe de ce type au début de l'année scolaire 2006-2007, après l'explosion de violence dans les banlieues. Les premières recrues ont eu de bons résultats aux concours. Rien ne permettait de garantir que ces étudiants auraient le niveau pour rester à Henri-IV et intégrer les classes prépas traditionnelles, mais 24 des 30 l'ont finalement fait. Ils ont fini l'année en juin 2009. Corre me dit que les meilleurs d'entre eux sont entrés dans les plus exigeantes des grandes écoles, y compris Polytechnique et l'Ecole supérieure de commerce de Paris. L'un a intégré l'Ecole vétérinaire, un autre fait du droit international entre Paris-I et Madrid.

L'expérience a également permis de faire évoluer Henri-IV. Elle n'a pas entraîné de révision du niveau à la baisse, comme les critiques le redoutaient, mais elle a permis de diversifier le recrutement des élèves. Les jeunes issus de quartiers difficiles et de familles pauvres tentent à nouveau

1. « La gifle de Sciences-Po », *Le Monde*, 14 mars 2001.

d'intégrer la prépa d'Henri-IV. Cinq ans plus tôt, seulement 8 % de ses 1 100 élèves étaient boursiers. En 2009-2010, la proportion est de 30 % des admis en première année. De plus, Corre me raconte que les professeurs ont expérimenté de nouvelles techniques d'enseignement dans cette classe préparatoire, et que ces méthodes leur servent maintenant avec leurs classes normales. « Cette classe est un accélérateur, un facteur d'évolution », a-t-il dit. Il en conclut que si l'on veut changer quelque chose à l'enseignement français, « il n'est pas nécessaire de convaincre tout le monde pour commencer ».

Les cloches de l'ancienne abbaye Saints-Pierre-et-Paul carillonnent sur le campus. Il est 13 heures, je dois partir. Je redescends dans la cour, encouragé par ce que j'ai entendu, espérant que M. Corre a raison, et qu'il est sincère. S'il est possible de faire évoluer Henri-IV, alors n'importe quelle école de France en est capable.

7

... Et les bêtes

S'IL EST SI DIFFICILE pour de brillants élèves de s'épanouir au sein d'une culture scolaire redoutable, qu'en est-il des plus fragiles ? Dans ce chapitre, j'ai choisi de me concentrer sur un groupe d'enfants vulnérables : ceux qui souffrent d'un trouble de déficit de l'attention et de l'hyperactivité (TDAH).

Ce trouble est sujet à controverse, et pas seulement en France. Mais ces dernières années, d'immenses progrès ont été accomplis qui permettent de mieux le comprendre. Il s'agit d'un problème neurobiologique, qui empêche les enfants de se tenir tranquilles. Ils ont des difficultés de concentration et se sentent souvent perdus. Ils peuvent être impulsifs et violents. Toutefois, si l'on se montre compréhensif et encourageant à leur égard et si l'on met à profit les méthodes médicales et pédagogiques les plus récentes, il n'y a aucune raison pour que ces enfants ne puissent intégrer des classes normales et y réussir.

L'école peut même jouer un rôle crucial. Ces

symptômes se manifestant particulièrement en classe, des professeurs bien informés peuvent faire office de système d'alerte précoce. Le trouble révèle donc la manière dont les enseignants et les écoles s'occupent des enfants qui requièrent attention et encouragements de manière individuelle.

L'Allemagne, la Grande-Bretagne et les pays nordiques notamment ont bien compris cela. Les autorités de ces pays estiment que le trouble peut affecter jusqu'à un enfant sur 20 ou 30. Certains sont plus touchés que d'autres, bien sûr, mais cela signifie toujours qu'en moyenne, chaque classe compte au moins un enfant présentant ces symptômes. Ces estimations ont été l'élément déclencheur de la formation de professeurs ordinaires, et pas seulement des enseignants spécialisés, aux stratégies d'identification et d'aide aux enfants atteints du TDAH.

La France, elle, demeure loin derrière. Les attitudes commencent à évoluer, mais la maladie reste peu comprise ou acceptée. La plupart des écoles ne sont pas équipées pour traiter ce problème, ou pire, refusent de s'en charger, laissant de nombreux enfants s'enfoncer dans un cycle infernal d'échec et de fatalisme.

Si vous pensez que j'exagère, parlez-en donc à Christine Gétin. Elle connaît bien plus que la plupart des gens les souffrances occasionnées par le TDAH, car son fils aîné en est atteint. Il a fallu dix années d'ignorance, de diagnostics erronés et de traitements inutiles, avant qu'il reçoive une aide véritable. L'expérience fut si éprouvante qu'en 2002, elle a fondé une association de parents d'enfants atteints du TDAH.

« Il se faisait engueuler toute la journée à l'école. Ses camarades de classe le frappaient. On l'a fait redoubler. » Arrivé à l'âge de 15 ans, il était « suicidaire ». Elle courait du médecin scolaire au psychologue, de thérapeutes en thérapeutes, à chaque fois sans succès. La goutte qui fit déborder le vase, ce fut ce psychiatre qui, niant la réalité du trouble dont souffrait son fils, lui dit : « Enfin, Madame, je ne vois pas pourquoi vous voulez qu'il ait un problème. »

C'est le genre d'histoire que Mia Vieyra connaît trop bien, à son grand désespoir. Cette Américaine, titulaire d'un doctorat en psychologie clinique, vit à Paris depuis près de vingt ans. Elle est l'une des quelques spécialistes étrangers du TDAH qui travaillent en France, apportant un point de vue international sur le problème. Tous racontent la même histoire : en France, ce trouble peut se révéler un véritable cauchemar pour les enfants. Il existe bien sûr des professeurs sensibilisés au problème et des écoles qui savent travailler avec les enfants concernés. Mais ce n'est pas le cas de tout le système éducatif. La maladie est souvent mal diagnostiquée et la condition des élèves aggravée par la façon dont les traitent des administrateurs, enseignants, médecins et psychologues scolaires mal informés.

« En France, les enfants souffrant du TDAH recevront beaucoup d'attention négative. Les enseignants leur crient constamment dessus et les punissent, ou les envoient seuls au fond de la classe, où les enfants se retrouvent perdus et se font oublier », m'explique Mia Vieyra. Elle et ses collègues étrangers racontent de nombreuses anecdotes choquantes recueillies ici, comme celle de ce garçon dont le professeur se moquait, l'appelant « Monsieur Bêtise » ou cet autre diagnostiqué à tort comme schizophrène et placé sous neuroleptiques.

Plusieurs facteurs expliquent cet accueil. La tradition française de la psychanalyse en est un. Freud et Lacan continuent d'exercer une forte influence en France, et certains psychologues formés par leurs écoles examineront un enfant hyperactif et concluront que le problème est d'ordre affectif. L'enfant sera diagnostiqué comme « anxieux », « ne voulant pas grandir », ou encore plus probablement, comme « pâtissant d'une pathologie parentale ».

Un second facteur est l'idée persistante que le TDAH est une « maladie américaine » et l'inquiétude suscitée par le traitement le plus couramment prescrit : un médicament stimulant appelé méthylphénidate, souvent vendu sous la marque Ritalin. Il est vrai que les Etats-Unis, sur-diagnostiquant le

TDAH, ont été trop rapides à prescrire du Ritalin ou d'autres médicaments similaires. Ce qui a donné lieu à une violente controverse aux Etats-Unis ces quinze dernières années. On se demande si le pays n'aurait pas considéré l'enfance comme une pathologie.

Une grande partie de l'Europe s'est longtemps montrée aussi sceptique que la France, mais depuis les dix dernières années, elle a évolué, preuves scientifiques à l'appui. En Allemagne, en 2005, l'Association nationale des docteurs a publié un rapport traitant des facteurs neurobiologiques derrière cette maladie et a reconnu en la méthylphénidate un traitement efficace. En Grande-Bretagne, en septembre 2008, le National Institute for Health and Clinical Excellence a mené une grande étude qui a conduit à la publication de nouvelles directives gouvernementales concernant la maladie et son traitement.

Eric Taylor, directeur de l'Institut de psychiatrie de King's College à Londres, est un des auteurs de ce rapport. La France commence à rattraper son retard dans ses approches médicales et pédagogiques du TDAH, constate-t-il, mais elle reste à la traîne : « Il y a encore cinq ans, la France était comme le Royaume-Uni en 1970. Maintenant, c'est comme si l'on était en 1980. »

*

J'ai demandé à Zara Harris, experte britannique basée à Paris, de comparer les pratiques internationales dans les écoles avec celles qui ont cours en France. En général, à l'étranger, un spécialiste commence par observer l'enfant dans la salle de classe afin de se faire une idée de la gravité des symptômes. Mais en France, l'observation menée sur place, à l'école, par des spécialistes venus de l'extérieur est impossible, sauf dans de très rares cas où l'administration d'une école exceptionnellement compréhensive pourrait l'autoriser, dit-elle.

C'est un sujet habituel de récrimination pour les psychologues internationaux habitant la France : les écoles ne travaillent pas du tout avec eux, et parfois ne travaillent même pas en coopération avec les parents. Il y a bien sûr des services scolaires spécialisés, comprenant des médecins, des psychologues, ou les Réseaux d'aides spécialisées aux élèves en difficulté (RASED). Mais dans la plupart des cas, cette administration médicale scolaire demeure profondément retranchée derrière les vieilles traditions lacaniennes et freudiennes.

Au sein de la salle de classe déjà, il y a des manières assez simples d'aider les enfants. Les enseignants doivent leur permettre de bouger et tolérer leurs nombreux gigotements. Les coussins spéciaux que j'ai découverts en Finlande sont un outil possible, tout comme des bandes élastiques que l'on attache aux pieds des chaises pour que les enfants hyperactifs puissent frapper contre. Zara Harris m'a raconté que si l'on demande à la plupart des écoles françaises de mettre en place des aménagements aussi simples, « la réponse systématique est non ».

Sur le plan scolaire, les enfants atteints de TDAH sont facilement distraits et perturbés, mais là encore, il existe un certain nombre de solutions efficaces. Les enseignants peuvent s'assurer que l'enfant a recopié correctement dans son agenda ses devoirs à faire à la maison. En maths, si le devoir consiste à calculer une série d'opérations inscrites sur une feuille, le fait de cacher le reste de la page peut aider l'enfant à bien se concentrer sur chaque opération.

Mia Vieyra a suggéré ces méthodes à l'un de ses patients, mais l'enseignant de son école a refusé de s'y prêter. L'enfant était capable de résoudre un problème à la fois, mais échouait à chaque exercice lorsqu'on lui présentait la feuille entière.

Cette mentalité, basée sur une conception faussée de la notion d'égalité, aurait dû voler en éclats avec la loi de 2005 sur le handicap, qui représente l'une des récentes grandes avancées. Pour la première fois, la loi affirme que tout enfant présentant un handicap ou un trouble de santé invalidant sera inscrit à l'école de son quartier et devra bénéficier d'un suivi spécifique au cours de sa scolarité. Pour les enfants souffrant de TDAH, cela signifie qu'en théorie, leurs troubles ne devraient désormais plus être perçus comme un seul problème *médical* mais également comme un problème *pédagogique*.

La loi française a été votée trente ans exactement après la *Public Law 94-142* aux Etats-Unis qui ordonnait aux Etats de développer des politiques assurant une éducation publique gratuite et adaptée à tous les enfants handicapés. Cette loi a engendré un changement fondamental dans la façon dont les écoles américaines se sont adaptées aux enfants souffrant de ces troubles. Des signes encourageants montrent que la même chose est en train de se produire en France.

L'Education nationale a aujourd'hui mis en place plusieurs dispositifs, dont des projets d'accueil individualisé pour les handicaps, qui sont censés assurer une meilleure coordination entre les écoles, les parents et les médecins. L'une des différences que les experts internationaux ont déjà soulignée est que désormais les enfants avec TDAH peuvent prendre du Ritalin à l'école ; avant la loi, les parents devaient venir les chercher à l'heure du déjeuner pour leur en administrer une dose.

Le plus grand changement a eu lieu au sein de la communauté scientifique. Michel Dugas, neuropédiatre devenu psychiatre qui a travaillé à l'hôpital Robert-Debré jusqu'à sa mort en 1998, en a été le pionnier en France. Marie-Christine

Mouren, chef de service de psychopathologie de l'enfant et de l'adolescent à Robert-Debré, a pris le relais de son travail. Elle explique qu'il y a dix ou quinze ans, « on avait peur de parler de l'hyperactivité. Maintenant, cette pathologie est de plus en plus reconnue ».

Un rapport de l'Inserm de 2003 sur « les troubles mentaux » chez l'enfant et l'adolescent a constitué une première étape importante dans la reconnaissance : un chapitre entier y était dédié à l'hyperactivité. Il n'allait pas jusqu'à approuver l'usage du Ritalin, mais mettait l'accent sur le rôle « primordial » des enseignants dans la reconnaissance et la prise en charge du trouble.

Enfin, il y des gens comme Christine Gétin. L'association qu'elle a fondée contribue à donner un visage humain à cette « maladie américaine ». Je l'ai rencontrée pour la première fois à Paris, en septembre 2009, lors d'une conférence qu'elle avait organisée au ministère de la Santé. L'événement rassemblait des spécialistes français et internationaux, des médecins scolaires, des psychologues, des orthophonistes et d'autres professionnels. Deux semaines plus tard, je déjeunai avec elle dans un restaurant d'Enghien-les-Bains pour discuter de son expérience.

Cette fille d'agriculteurs des Deux-Sèvres a très tôt été confrontée aux difficultés d'apprentissage chez l'enfant : son frère était dyslexique et son père faisait chaque semaine 150 kilomètres pour le conduire chez un orthophoniste, à Poitiers. Lorsque son fils est né, elle a rapidement réalisé que quelque chose n'allait pas, surtout lorsqu'il a commencé à aller à l'école. « Il était dans la lune », dit-elle. Alors que les troubles s'aggravaient et que les différentes thérapies qu'il suivait s'avéraient inefficaces, elle s'est finalement rendue à Robert-Debré, en 2000. Les spécialistes ont diagnostiqué son TDAH et lui ont prescrit de la méthylphénidate. Au début, il ne voulait pas prendre le médicament, mais le jour où il s'y est résolu, il est revenu de l'école et a annoncé joyeusement : « C'est la première fois que je ne perds pas mon cartable à la récré. » Depuis, il a passé son baccalauréat, fait des études, trouvé du travail – et la tranquillité. Parmi ses passions, la composition de poèmes.

Lors de notre déjeuner, Christine Gétin s'est montrée d'un optimisme circonspect. Le Ritalin est toujours brocardé en tant que « pilule de l'obéissance » dans certains médias, mais il est bien mieux accepté qu'auparavant. Elle m'a parlé avec fierté de l'une de ses plus grandes réussites, en 2005, alors que François Fillon était ministre de l'Education nationale. Son association avait créé un livret sur le TDAH à l'attention des écoles. Elle l'a montré à un membre du cabinet de Fillon, qui lui a permis d'y mettre le logo du ministère. « Cela nous a été très précieux. »

Le point faible, dit-elle, reste les enseignants,

qui ne bénéficient toujours d'aucune aide. Marie-Christine Mouren, de l'hôpital Robert-Debré, constate qu'il y a une grande « soif d'apprendre », mais toujours pas de socle de formation commune. Jean-Pierre Giordanella, directeur de la prévention à la CPAM de Paris, estime que les futurs professeurs reçoivent moins de deux heures de formation médicale au total dans les IUFM. Cela constitue un manque certain : en Finlande, chaque école emploie des professeurs qui ont effectué une année supplémentaire de formation comprenant un important travail sur le TDAH, comme Meri-Tuuli Varama, qui m'a fait visiter l'école primaire Meriusvan.

Alors que l'on finissait de déjeuner, j'ai demandé à Christine Gétin ce qu'il faudrait changer en France pour s'assurer que les souffrances subies par son fils ne se reproduisent plus jamais. Je m'attendais à ce qu'elle recense les différents moyens d'améliorer les services médicaux scolaires ; c'est un problème qui la préoccupe beaucoup. Au lieu de cela, elle a émis une remarque plus générale, concernant l'éducation dans son ensemble : « Nous devons constamment nous en tenir au principe selon lequel l'éducation est destinée à tous. Nous devons arrêter d'exclure des enfants, quelle qu'en soit la raison, car en faisant cela, vous perdez de vue l'idée même de ce qu'est l'éducation. »

Elle a raison. L'égalité et la prise en compte de tous les enfants sont des slogans importants pour l'Education nationale ; mais tant que les écoles ne s'adapteront pas aux enfants qui ont des besoins spécifiques, comme ceux qui souffrent du TDAH, ces notions ne resteront que des slogans. Et si les écoles sont capables de se donner énormément de mal pour s'adapter à ces enfants en leur apportant une attention individualisée, pourquoi ne pas faire la même chose pour tous ?

8

Portes ouvertes

ESSAYER de changer l'Education nationale, c'est un peu une *Mission impossible.* Claude Allègre avait promis de « dégraisser le mammouth » mais c'est lui qui a fini haché menu. Son sort est dramatique mais pas atypique. Depuis le début de la Ve République il y a un demi-siècle, vingt-neuf ministres de l'Education se sont succédé, dont dix qui ont occupé le poste pendant moins d'une année. Ils arrivent, prononcent des discours solennels, font de grandes promesses, annoncent de nouvelles lois et démissionnent ensuite pour des postes plus gratifiants ou se font éjecter lorsque, inévitablement, les enseignants et les élèves finissent par descendre dans la rue pour manifester.

Voilà pourquoi l'idée même d'essayer de changer des habitudes profondément ancrées telles que les méthodes d'enseignement, peut sembler complètement folle. Cela serait déjà difficile à réaliser pour n'importe quelle nation, a fortiori dans un pays aussi fier de ses traditions que la France.

Figurez-vous que je suis optimiste.

Pourquoi ? D'abord parce que le changement est devenu un impératif politique. Le taux élevé d'illettrisme parmi les enfants entrant en 6e, les milliers de jeunes qui quittent l'école chaque année sans qualification, les mauvais résultats des élèves français aux tests PISA et l'exaspération de professeurs surmenés dans des écoles de banlieue où le niveau est faible... Autant de facteurs qui déshonorent l'école française et font peser sur elle une énorme pression pour que les choses changent. Le vieux remède qui consiste à fermer les yeux et à distribuer de l'argent aux écoles n'a jamais bien marché, et désormais les caisses sont vides.

Sur le plan intellectuel, un changement culturel est déjà en route. Les rapports officiels les plus récents en matière d'éducation – ceux de Claude Thélot, professeur d'économie de l'éducation, du député et secrétaire d'Etat Benoist Apparu et de Richard Descoings, le directeur de Sciences-Po – ont tous formulé des suggestions concrètes attaquant la culture de la nullité. Ce n'est pas le mot qu'ils emploient, mais l'idée est là. Le rapport de Thélot était intitulé « Pour la réussite de tous les élèves » et consacrait un chapitre entier à la redéfinition du métier d'enseignant. Apparu et Descoings attaquent tous deux le système d'évaluation.

Récemment, le *think-tank* français le plus influent, l'Institut Montaigne, a proposé une douzaine d'idées pertinentes sur l'école primaire. Parmi celles-ci : une réduction « drastique » du taux de redoublement et un changement radical dans la formation et la rémunération des instituteurs[1].

Au niveau gouvernemental, si l'on se contente de considérer la succession des ministres de l'Education qui ont échoué, on aura une idée erronée de cette effervescence intellectuelle. Certains des hauts fonctionnaires que j'ai rencontrés défendent le système mais sont aussi conscients de ses défauts et ont de bonnes suggestions quant à la manière de les corriger. Dans un rapport très sévère sur les politiques publiques d'éducation, la Cour des comptes constata en mai 2010 qu'en France, « le nombre important de jeunes rencontrant des difficultés scolaires moyennes ou importantes montre que le système scolaire, tel qu'il est aujourd'hui conçu, n'est pas capable de répondre à leurs besoins[2] ».

Le changement le plus important, c'est la nouvelle génération d'enseignants qui quittent les bancs des grandes écoles et des facs avec des attitudes assez différentes de celles de leurs parents. Bien sûr, ils ont tous dû passer par le camp d'entraînement que représente l'éducation fran-

1. « Vaincre l'échec à l'école primaire », avril 2010.
2. « L'Education nationale face à l'objectif de la réussite de tous les élèves ».

çaise, et cette expérience personnelle restera gravée dans leur mémoire. Mais de plus en plus de jeunes partent étudier à l'étranger par le biais de programmes d'échange comme Erasmus. Après avoir personnellement expérimenté un mode d'enseignement plus décontracté dans un autre pays, il est impossible de ne pas se demander pourquoi la vie scolaire française est si rude. Lorsqu'ils reviendront, ceux qui choisiront d'enseigner le feront différemment.

La grande question que je me pose alors n'est pas de savoir *si* la culture de l'éducation française va changer, mais *comment* on peut modifier la donne, et à quelle vitesse. Quels sont les ingrédients nécessaires à une réforme réussie ?

Permettez-moi de suggérer plusieurs pistes à suivre. Je suis un observateur étranger, pas le ministre de l'Education. J'ai donc des principes simples à proposer plutôt que des prescriptions détaillées. Toutes mes recommandations s'appuient sur les riches expériences d'autres pays. Cela ne veut pas dire que je pense que la France doive simplement copier les autres. La France n'est pas la Finlande et ne le sera jamais. Toutefois, il n'y a aucune raison pour que l'école en France ne devienne pas aussi performante qu'en Finlande. Ce qui l'en empêche pour l'instant, c'est l'absence de volonté d'essayer et d'une stratégie cohérente pour y parvenir.

Se fixer de nouveaux objectifs

La dernière fois que quelqu'un a fixé un objectif efficace pour l'Education nationale, c'était en 1985, lorsque Jean-Pierre Chevènement a proposé de faire en sorte que 80 % d'une génération atteigne le niveau du baccalauréat en 2000. Il s'agissait d'une idée simple et claire, soutenue par un outil puissant : l'introduction du baccalauréat professionnel. Le résultat fut une augmentation spectaculaire du nombre de bacheliers.

Aujourd'hui, vingt-cinq ans plus tard, je pense que l'objectif de Chevènement a fait son temps. Le moment est venu pour la France de se fixer de nouveaux objectifs. Son but d'arriver à un pourcentage de 80 % n'a pas été atteint et à moins qu'un changement fondamental se produise, on n'y parviendra jamais. Après un bond initial en 1980, le pourcentage d'élèves atteignant le niveau du bac a stagné à 70 %, et ce depuis 1995.

De nouveaux objectifs sont utiles car ils aident à faire avancer le débat national. La France en a grand besoin, car l'absence d'un large consensus sur l'éducation n'a mené qu'à des bricolages répétés et inefficaces. Les ministres se succèdent, changeant de politique selon leur bon vouloir, souvent sans prendre en compte le travail de leurs prédécesseurs, et en général, sans certitudes quant à l'utilité de leurs réformes.

L'une des plus grandes leçons que l'on peut retenir de la Finlande est que si vous souhaitez réellement améliorer les écoles, vous avez besoin d'une continuité politique. Avant d'engager leurs réformes, les Finlandais ont tenu un grand débat concernant les objectifs qu'ils voulaient se fixer pour leur Education nationale. Une fois que cela a été fait, ces objectifs sont restés les mêmes pendant les deux décennies suivantes et ne furent pas modifiés, quel qu'ait été le gouvernement au pouvoir. Cette continuité, estiment les Finlandais, est une des grandes raisons pour lesquelles leurs écoles sont désormais aussi efficaces.

Une discussion franco-française visant à déterminer de nouveaux objectifs nécessiterait que l'on redéfinisse les notions mêmes de succès et d'échec. J'ouvrirai le débat en demandant à l'Education nationale de supprimer l'expression « échec scolaire ». Elle est employée à tort et à travers, alors que son sens réel est mal défini. J'ai entendu des gens l'utiliser pour désigner aussi bien de « bons » élèves expérimentant un « passage à vide » que de mauvais élèves quittant l'école sans qualification, ou connaissant des difficultés d'apprentissage. Cette expression est révélatrice de ce que l'échec semble toujours être un problème dont l'élève est seul responsable. On est « en situation d'échec scolaire ». En d'autres termes, ce n'est pas la faute de l'école, ou du programme, ou d'un enseignant qui ne soutiendrait pas assez ses élèves, ou d'évaluations stressantes, ou de l'intolérance du système envers des enfants qui ont besoin de plus de temps que leurs pairs pour se développer. Non, c'est la faute de ces *nuls* qui ne sont pas capables de suivre.

Il s'agit là d'un travestissement de la véritable nature de la pédagogie. Un élève peut porter la responsabilité de ses propres erreurs – peut-être est-il paresseux et manque-t-il de motivation. Même si c'est le cas, il n'y a aucune raison pour qu'il soit seul : les enseignants, les écoles, les acteurs de la politique éducative partagent tous ensemble cette responsabilité. Il faut qu'ils parviennent à trouver comment faire de l'école une expérience stimulante et utile à tous. Reconnaître leur responsabilité est un premier pas vers la mise en place de ces nouveaux objectifs. Premier signe encourageant : dans un rapport de 2007 sur l'école primaire, le Haut Conseil de l'Education admet que le taux élevé de redoublement « signale un échec de l'école autant que de l'élève ».

Concernant les objectifs eux-mêmes, il pourrait être tentant de réviser celui que Chevènement avait fixé. Devrait-il être élevé à 100 % ? Certains pays visent ce résultat et s'en approchent. En Corée, 97 % de la population qui a entre 25 et 34 ans est désormais titulaire d'un diplôme égal ou supérieur au deuxième cycle du secondaire. Au Canada, en Suisse, en Pologne et en Scandinavie, ce chiffre est de plus de 90 %. Aux Etats-Unis, il est de 87 %[1].

Je soupçonne qu'en France, viser un objectif de 100 % serait perçu avec consternation par l'ensemble des critiques qui se plaignent déjà de ce qu'ils perçoivent comme une baisse du niveau. Les Coréens parviennent à éduquer presque tous leurs jeunes jusqu'à la fin du secondaire, sans sélection, tout en maintenant un très haut niveau académique : ils obtiennent d'excellents résultats aux tests PISA. Mais en France, il serait presque impossible d'obtenir un consensus. Le risque est qu'établir un objectif de 100 % sèmerait tellement la discorde, que rien ne pourrait réellement changer.

Pour éviter cela, je propose un objectif différent.

Une nouvelle politique des « portes ouvertes »

En observant les écoles françaises d'un œil étranger, il est surprenant de constater à quelle vitesse les portes se ferment. L'école ici limite les opportunités plutôt qu'elle ne les accroît. Dès l'âge de 14 ou 15 ans à peine, il vous faut prendre

1. *Regards sur l'éducation 2009*, OCDE.

des décisions qui vous marqueront pour le reste de votre vie. Si vous n'êtes pas bon en mathématiques à cet âge-là, plus tard vous ne deviendrez jamais médecin ou ingénieur.

Vous n'avez naturellement pas droit à une seconde chance. Si vous n'êtes pas prêts pour votre bac à 18 ans, tant pis pour vous. Si vous découvrez, adulte, que vous étiez en réalité assez bon en sciences, c'est trop tard.

Tout le monde ne peut pas être un intellectuel, et il n'y a rien de honteux à cela, mais les stigmates associés aux lycées professionnels sont si profonds que même si vous êtes doué de vos mains, vous êtes toujours considéré comme *nul*. Et bien sûr, peu importe que vous excelliez ou non dans les domaines du sport ou des arts. Il n'y a tout simplement pas de reconnaissance pour ces talents à l'école.

La porte continue de se fermer, même si vous réussissez le bac. Au nom d'une conception pervertie de l'égalité, les universités autorisent des milliers d'étudiants à s'inscrire en première année de droit ou de médecine, pour n'en laisser ensuite passer que 15 % en deuxième année.

Ceci représente un immense gâchis de talent et vient accroître encore un peu plus l'énorme pression qui pèse déjà sur les jeunes. Tout cela est extrêmement décourageant et démotivant. C'est le résultat de la culture de la nullité qui ne récompense que les meilleurs des élèves. Cela doit changer. Chaque enfant devrait avoir la chance d'exceller dans son domaine.

Le premier objectif de la politique d'ouverture est par conséquent de faire prendre conscience du nombre de portes que la France referme de manière prématurée. Un second objectif serait de définir quelles portes ont besoin d'être ouvertes davantage.

L'une des questions les plus importantes est de savoir si les écoles ne devraient pas accorder moins d'importance aux performances académiques et laisser plus de place à d'autres éléments comme l'épanouissement individuel, le développement de la créativité ou le renforcement de la confiance en soi. Ceci risque de provoquer chez les traditionalistes français une crise d'apoplexie, mais dans de nombreux autres pays, les réussites non académiques représentent des objectifs éducatifs légitimes.

L'un des modèles qui mériterait d'être examiné est le « baccalauréat international ». Il est géré par une association à but non lucratif basée à Genève et proposé par 2 940 écoles dans 138 pays, dont 11 en France. La plupart des universités les plus réputées dans le monde reconnaissent qu'il s'agit d'une qualification valable : parlez-en à Harvard ou à Oxford et ces universités vous diront qu'elles le préfèrent au baccalauréat français. Ce qui est particulièrement intéressant pour les Français, c'est que ce baccalauréat accorde une place importante aux arts et aux langues, et non aux seules sciences, et que les élèves doivent consacrer plusieurs heures par semaine aux arts, aux sports et à un certain nombre d'activités sociales, comme visiter des hôpitaux ou travailler avec des SDF.

Voilà pour le bac. Qu'en est-il du tiers de jeunes qui ne vont pas aussi loin dans leurs études ou qui ratent cet examen ? A l'heure actuelle, ils sont automatiquement catalogués « en situation d'échec ». C'est absurde. Il suffit de regarder la liste des plus grandes réussites françaises et vous y trouverez François Pinault, qui a quitté l'école à 16 ans et le défunt Robert Louis-Dreyfus, qui a raté deux fois son bac, tous deux milliardaires.

Pour les jeunes qui n'ont pas obtenu leur bac, la première question est « pourquoi ? ». L'auraient-ils décroché s'ils avaient été davantage encouragés et motivés ? Même si la réponse est non, eux aussi ont besoin de goûter au succès et non de constamment subir des échecs. Il est difficile d'imaginer la France emprunter au modèle américain et célébrer les succès en tous genres, en allant jusqu'à instaurer dans les écoles un prix de « citoyenneté ». Mais on a aussi besoin de célébration et de valorisation. Dans tous les cas, dans un monde où même les emplois les plus subalternes requièrent désormais des qualifications, le plus gros problème reste de savoir comment s'assurer que ceux qui quittent l'école tôt le font avec une solide formation de base.

Claude Thélot a réfléchi à cette question, et le rapport de la commission qu'il a présidée en 2004 propose la création d'un « socle commun de connaissances et de compétences indispensables ». Notez le mot « compétences ». Il étend automatiquement l'objectif éducatif à des compétences pratiques qui peuvent à la fois trouver une application au sein de la société ou être mobilisées en vue d'une réflexion purement conceptuelle. Dans la plupart des pays, l'acquisition des compétences fait partie des fondements théoriques de l'école ; il n'y a qu'en France où l'accent semble être mis exclusivement sur le « savoir » plutôt que sur le « savoir-faire ».

Il reste encore une dernière grande porte à ouvrir : celle qui donne aux jeunes une seconde chance. Pourquoi les gens devraient-ils être définitivement marqués par les résultats qu'ils ont obtenus au début de leur adolescence ? Partout ailleurs, si vous quittez l'école tôt mais que vous réalisez par la suite à quel point il est difficile de survivre sur le marché de l'emploi actuel sans qualifications, vous pouvez toujours faire marche arrière. Ou peut-être pouvez-vous juste prendre votre temps. Dans des pays comme le Danemark, l'Allemagne et les Pays-Bas, 10 % des jeunes entre 20 et 24 ans sont toujours dans le second cycle de l'enseignement secondaire. Dans l'Union européenne, ce chiffre est de 6 %. En France, il est seulement de 3 %. Il n'y a rien de mal à être l'élève le plus âgé de sa classe.

Vers un nouveau professionnalisme

Dans chacun des pays qui ont amélioré leur système éducatif, il n'y a qu'une seule politique qui marche : stimuler les enseignants. Si vous leur donnez une formation poussée et que vous les traitez ensuite comme des professionnels, que vous les payez mieux et leur donnez confiance dans leur travail, ils vous récompenseront par un impact profondément positif sur leurs élèves. Les pays ayant obtenu les meilleurs résultats au PISA et autres tests internationaux ont tous, sans exception, pris des mesures draconiennes pour moderniser la profession.

En termes de comparaison internationale, les enseignants français sont en fait bien qualifiés, au moins en théorie. Lorsqu'ils sont recrutés par concours externe, 55 % des admis ont une formation égale ou supérieure au niveau Bac + 4. En incluant le temps passé dans les IUFM, les enseignants français ont souvent le même nombre d'heures de formation que les Finlandais. Mais quelle différence !

En Finlande, comme je l'ai montré, la formation comprend bien plus de simulations en classe et de réelles mises en pratique. Cela inclut aussi de s'intéresser de près aux dernières conclusions pédagogiques, psychologiques et neuroscientifiques concernant les stratégies d'apprentissage efficaces pour tous les enfants. Avant d'être diplômés, les étudiants doivent se plonger dans de sérieuses recherches universitaires dans le domaine de l'éducation. Leur formation ne se termine pas non plus lorsqu'ils commencent à travailler. Les enseignants finlandais suivent une formation régulière et continue, puis apprennent les uns des autres en travaillant en équipe. Ils possèdent également pour soutenir leur travail en classe des réseaux professionnels, qui leur conseillent des outils pratiques à utiliser avec les élèves.

Ce type de développement professionnel fait cruellement défaut en France. Ici, l'accent est mis trop fortement sur les qualifications académiques et pas assez sur la capacité individuelle de chaque enseignant à travailler efficacement avec les enfants. Il est important d'avoir une formation universitaire encyclopédique dans une ou plusieurs disciplines, mais il est tout aussi primordial de posséder une bonne maîtrise de la pédagogie et de la didactique.

Nombreux sont les enseignants de ma connaissance qui affirment qu'ils seraient heureux de recevoir une meilleure formation. Le gouvernement a pour projet d'élever le niveau de qualification ; à terme, selon ce projet, tous les enseignants recrutés disposeront d'un master. Malheureusement, il a un problème de crédibilité en la matière. Il existe une idée très répandue – et sans doute vraie – selon laquelle la modernisation de la formation des enseignants ne serait qu'une nouvelle manière de chercher à économiser de l'argent. Inévitablement, de nombreux enseignants et syndicats s'y opposent. Il est essentiel de parvenir à débloquer cette fâcheuse situation. Le gouvernement doit clarifier le fait que ses efforts pour moderniser la formation des enseignants ne sont en rien une démarche de « rigueur » budgétaire. En réalité, pour améliorer leur formation, il faudrait dépenser bien plus d'argent que cela n'est le cas aujourd'hui.

Une fois qu'ils ont commencé à travailler, les enseignants sont surveillés de très près, comme des pions sans cerveau, au lieu d'être traités en professionnels. Il est pitoyable de voir des ministres sans aucune expérience dans l'enseignement, dicter aux professeurs les méthodes qu'ils devraient employer. Il est malheureux d'entendre des enseignants parler des tsunamis de travail administratif qui les submergent, comme les seize pages du nouveau livret scolaire. Il y a bien trop d'évaluations sur lesquelles élèves et professeurs doivent travailler pour parvenir à satisfaire l'inspecteur, et pas assez de temps pour apprendre de manière constructive et ininterrompue.

« Moins, c'est plus », a déclaré le Premier ministre de Singapour. Et la France ferait bien d'emprunter cette idée. En pratique, cela signifierait un large effort collectif pour la mise en place d'un programme national auquel tout le monde participerait, y compris les inspecteurs, les fonctionnaires et les hommes politiques. Ensuite, une fois le programme fixé, tout le monde devrait cesser de s'en occuper et laisser les écoles et les enseignants faire leur travail en mettant le système en application.

L'élément qui manque le plus est la confiance. Cela prend bien sûr du temps à construire. Il faudra toujours des inspecteurs devant lesquels les écoles demeureront responsables, afin de garantir une certaine qualité du niveau à travers tout le pays. Mais ils devront désormais adopter une approche plus mesurée. Les écoles ont besoin de plus d'autonomie et devraient être encouragées à effectuer davantage d'expérimentations.

Cela a déjà commencé. Dans son rapport publié en 2009, Richard Descoings décrit quelques-unes des expériences intéressantes qu'il a recensées, dont une au lycée Robert-Doisneau de Corbeil-Essonnes, où 1 550 jeunes ont construit une école dans un village du Burkina Faso, et une autre au lycée Vieljeux à La Rochelle, qui a mis en place un système d'aide « à la carte » en français et en maths.

Malheureusement, comme le montre l'expérience Paul Robert à Clarensac, la marge de manœuvre pour ces expérimentations est encore extrêmement réduite. L'argent constitue souvent le point de friction. Il n'est pas bon de donner aux écoles une certaine forme d'autonomie légale sans les fonds nécessaires pour pouvoir l'exercer. Descoings a noté que l'autonomie budgétaire des écoles est en fait « en régression constante depuis plusieurs années. L'Etat "flèche" des crédits, niveau de classe par niveau de classe, discipline par discipline, option par option, avec une précision qui frise parfois le ridicule ».

Le rapport Thélot souligne, lui, très justement, que les enseignants ont besoin d'une bien meilleure gestion des ressources humaines. De trop nombreux diplômés sont tout simplement parachutés dans les écoles les plus difficiles, au début de leur carrière, sans formation suffisante. Plus tard, ils seront nombreux à se plaindre d'être usés par leur travail.

Il est encourageant de voir que les rapports officiels traitent enfin de ces problèmes. Ce dont on a maintenant besoin, c'est d'une secousse, une sorte d'« électrochoc », qui accélérera le processus de réforme et mettra fin au pessimisme néfaste qui prévaut toujours dans les écoles.

J'ai deux propositions concernant la manière d'y parvenir. La première est d'abandonner l'échelle d'évaluation existante allant de 0 à 20 et de la remplacer par un système plus utile et plus encourageant, se rapprochant de ceux d'autres pays européens. Je suggère une échelle de 1 à 5, chaque chiffre étant clairement défini. Ainsi, un 5 signifierait « très bien » ; un 4 « bien » ; un 3 « satisfaisant » ; un 2 « faible » et un 1 signifierait que vous avez échoué. Le zéro, les demis et les quarts seraient absents de cette notation.

Il s'agit là d'un changement drastique et qui serait sûrement controversé. Sans aucun doute certains anciens se souviendraient-ils des efforts d'Edgar Faure en 1969 pour mettre en place un système identique. L'avantage de ce changement serait de forcer tout le monde à prendre conscience de ce que les spécialistes savent déjà : que le système de notation actuel ne remplit pas bien ses fonctions et est clairement trop subjectif, aléatoire et décourageant.

Pour satisfaire les perfectionnistes français, peut-être faudrait-il ajouter une note supplémentaire, un 6. Celle-ci ne pourrait jamais être attribué à aucun élève quelles que soient les circonstances. Elle serait alors tranquillement ignorée et l'on n'en tiendrait tout simplement pas compte.

Le deuxième coup porté au système serait l'introduction d'échanges d'enseignants avec d'autres pays. L'idéal serait que tous les étudiants formés à l'enseignement puissent passer trois mois dans une école à l'étranger, afin d'y observer les méthodes de travail de leurs collègues, tout en les aidant au titre d'assistants d'enseignement. Les professeurs déjà bien établis devraient eux aussi être encouragés à passer du temps à l'étranger, sur la base d'un principe de réciprocité. Envoyer des milliers d'enseignants à l'étranger pour quelques mois et accueillir des milliers d'enseignants étrangers en France pour les remplacer serait le moyen le plus rapide de changer le système. Il se pourrait que la langue pose problème, mais le français est toujours enseigné dans la plupart des écoles d'Europe, et les sciences et les maths sont des langues internationales, à leur manière.

L'avantage, bien sûr, est que les enseignants auraient la possibilité d'expérimenter des méthodes différentes et nouvelles, pour peut-être s'en inspirer. Il s'agit là exactement du type de programme d'échange fructueux que l'Union européenne aime à organiser. Le programme Erasmus existe déjà pour les étudiants. Si un programme similaire était créé pour les enseignants, le nom de Pygmalion lui conviendrait parfaitement.

Un nouvel esprit de professionnalisme ne toucherait pas seulement les enseignants. Il nécessiterait une transformation de l'appareil administratif tout entier, à commencer par le ministère de l'Education lui-même. L'Hôtel de Rochechouart est devenu la gare du Nord du gouvernement, avec des ministres entrant et sortant à toute heure du jour et de la nuit. La plupart ont peu, voire aucune expérience ou notion de ce qu'est l'enseignement, et se servent de ce poste comme d'un bouche-trou, en attendant de s'en voir confier un plus attractif. Ceci est absurde. Outre son rôle clef pour l'avenir de la France, l'enseignement scolaire représente aussi la part principale du budget de l'Etat ; dans la loi de finances 2010, il a reçu 60 milliards d'euros, 50 % de plus que le montant alloué à la Défense et cinq fois celui attribué au Travail et à l'Emploi. Vous penseriez que les ministres chargés de cette mission devraient au moins être compétents et dévoués à leur travail. Malheureusement, à quelques exceptions près, la plupart d'entre eux durant le siècle passé, n'ont été ni l'un ni l'autre.

Le fait de prendre plus au sérieux le rôle de ministre n'est pas le seul changement nécessaire. Dans leur ensemble, les politiques éducatives de l'Hexagone semblent se réduire à un ballet ritualisé entre des hommes politiques mal à l'aise et des syndicats trop confiants en leur pouvoir. Leur « concertation » est sans fin, et, à en juger par les résultats, elle ne sert personne, mis à part le statu quo. Elle ne bénéficie certainement pas aux principaux intéressés : les enfants scolarisés. Il est grand temps pour les parents et les enseignants de mettre fin à ce petit jeu et de trouver des façons plus efficaces et plus professionnelles de faire entendre leur voix.

9

Le bruit du bonheur

ETANT DE NATURE optimiste, j'aime les histoires qui finissent bien. En tant qu'observateur des écoles françaises, tout ce que je souhaite, c'est que leurs élèves puissent y passer de meilleurs moments.

Pour l'heure, un sondage effectué auprès de jeunes adolescents français montre à quel point ils y sont malheureux : 71 % sont régulièrement sujets à de l'irritabilité et 63 % souffrent de nervosité. Un sur quatre a mal au ventre ou à la tête, une fois par semaine ou plus et 40 % se plaignent d'insomnies fréquentes. Ce sont peut-être des « symptômes flous », mais l'étude note qu'« en effet, même sans gravité particulière, ces plaintes, lorsqu'elles sont récurrentes, risquent d'influer sur les capacités de fonctionnement et le bien-être journalier des élèves[1] ».

Partout les adolescents présentent de tels

1. *La santé des élèves de 11 à 15 ans en France*. Données françaises de l'enquête internationale Health Behaviour in School-aged Children (2008).

symptômes, mais la jeunesse française y semble plus prédisposée que de nombreux autres Européens. Dans un sondage auprès de jeunes âgés de 11, 13 et 15 ans, réalisé en collaboration avec l'OMS, les Français se plaignent de multiples problèmes de santé nettement plus que les Allemands, les Anglais ou les Espagnols[1].

Il y a aussi des signaux de détresse extrêmes. Le suicide est la deuxième cause de mortalité chez les jeunes de 15 à 24 ans. Une enquête Inserm de 1993 montre que 7 % des jeunes ont déjà fait une tentative de suicide et qu'un quart d'entre eux en ont même fait plusieurs. Et près d'un jeune sur quatre a eu des idées suicidaires.

D'un point de vue psychologique, donc, l'éducation française semble manquer cruellement de bonheur. C'est aussi le cas d'un point de vue pédagogique. Car l'une des grandes découvertes de la psychologie moderne est que le bonheur est un ingrédient clef d'un apprentissage réussi. Si vous appréciez ce que vous apprenez, cela vous stimule, et déclenche un cercle vertueux. Le psychologue danois Hans Henrik Knoop décrit ainsi le phénomène :

Plus les élèves font l'expérience de choses positives dans leurs vies – notamment : joie,

1. « Inequalities in Young People's Health », HBSC International Report (2005-2006).

reconnaissance, sérénité, espoir, fierté, amusement, inspiration, respect et amour –, plus ils apprendront, plus ils seront enclins à apprendre encore davantage et à en faire profiter le plus grand nombre de personnes possible autour d'eux.

Ceci est déjà perceptible chez les bébés. La découverte de leur univers est amusante. Ils prennent du plaisir à explorer, à apprendre à marcher et à parler. Cela les pousse à explorer encore davantage, à tenter de nouvelles expériences. Le problème, dit Knoop, c'est que cette curiosité naturelle et ce plaisir se volatilisent lorsque l'enfant entre à l'école.

Bien sûr, la tristesse et l'ennui ne sont pas des problèmes nouveaux. Dans leur roman *Les Années de collège de Maître Nablot*, paru en 1874, Emile Erkmann et Alexandre Chatrian déplorent les méthodes d'enseignement d'un internat dans lequel le narrateur est envoyé :

Quelle sécheresse, quelle aridité ! Au lieu de commencer par des lectures faciles, que le professeur expliquerait lui-même à ses élèves, dont il leur donnerait le sens d'abord et dont il analyserait ensuite les mots et les phrases, forcer des enfants pendant quatre grandes années, avant la rhétorique, à réciter des kyrielles de mots et de règles abstraites, n'y a-t-il pas de quoi stupéfier l'espèce humaine ?

Aujourd'hui, il y a plus de raisons que jamais de faire en sorte que l'apprentissage soit un plaisir. L'époque où il était suffisant d'avoir son baccalauréat pour être assuré de faire une bonne carrière est révolue. Nous vivons dans un monde que certains décrivent comme une « société de la connaissance », un monde dans lequel l'intelligence humaine, plus que les biens manufacturés ou la matière brute, constitue un capital clef. Nous ne savons pas vraiment ce que cela signifie pour nos enfants et nos petits-enfants, mais une chose est certaine : ceux qui ont un appétit et un amour de l'apprentissage auront de bien meilleures chances de s'épanouir que les autres. L'école est le lieu où ces appétits doivent être encouragés et développés.

La France sera-t-elle alors capable d'introduire un peu de joie, de reconnaissance, de sérénité, d'intérêt, d'espoir, de fierté, d'amusement, d'inspiration, de respect et d'amour au sein de l'école ? Je ne vois pas pourquoi cela ne pourrait pas être le cas. On a déjà essayé de faire quelque chose de similaire dans le domaine de l'économie. En 2008, Nicolas Sarkozy a demandé à Joseph Stiglitz, le prix Nobel d'économie, de proposer de nouvelles statistiques qui prendraient en compte le bien-être, plutôt que seulement les chiffres usuels de production et de consommation. Le rapport Stiglitz a fait sensation dans le monde des statisticiens et a mené à repenser les indicateurs économiques.

Il est temps pour le Président de commander un nouveau rapport, cette fois-ci sur la manière d'introduire le bonheur dans les écoles françaises. Peut-être que cela aussi fera sensation et provoquera d'importants changements.

La France restera toujours la France, bien sûr. Une touche d'ironie, un soupçon d'autoflagellation, de la nervosité et de l'irritabilité, sont autant de caractéristiques de la réputation nationale française, que nous, étrangers, apprécions tout particulièrement. « On reconnaît le bonheur au bruit qu'il fait quand il s'en va », disait Jacques Prévert avec son élégance caractéristique. Cela dit, n'est-il pas temps pour la France de reconnaître que l'école pourrait être un endroit plus heureux, et que les enfants, quelles que soient leurs aptitudes, devraient bénéficier de plus d'encouragements ?

Je le crois fortement. En tant que père de deux filles scolarisées en France, c'est ce que j'espère de tout mon cœur. Je conclurai donc avec un mot d'encouragement à la française, aussi bien dans l'esprit du sergent Hartman de Kubrick que de celui de Jacques Prévert : *Allez les nuls !*

TABLE

1. Le « French dream » 11
2. Pygmalion à l'envers 19
3. « Il faut que nous abandonnions cette mentalité » 43
4. Dans la boîte noire 73
5. La fronde de Clarensac 101
6. Les belles... 115
7. ... Et les bêtes 133
8. Portes ouvertes 145
9. Le bruit du bonheur 165

Dans la même collection

Besson (Eric)	*La République numérique ■ Pour la nation*
Fourest (Caroline)	*La Tentation obscurantiste*
Fukuyama (Francis)	*D'où viennent les néo-conservateurs?*
Galbraith (John Kenneth)	*Les Mensonges de l'économie*
Gozlan (Martine)	*Le Désir d'Islam*
Guénaire (Michel)	*Le Génie français*
Gumbel (Peter)	*French Vertigo*
Hirsch (Emmanuel)	*Apprendre à mourir*
Hoang-Ngoc (Liêm)	*Sarkonomics ■ Vive l'impôt!*
Le Boucher (Eric)	*Economiquement incorrect*
Lemaître (Frédéric)	*Demain, la faim!*
Lepage (Corinne)	*Vivre autrement*
Lévy (Thierry)	*Nos têtes sont plus dures que les murs des prisons*
Minc (Alain)	*Ce monde qui vient ■ Le Crépuscule des petits dieux ■ Dix jours qui ébranleront le monde*
Obama (Barack)	*De la race en Amérique*
Olivennes (Denis)	*La gratuité, c'est le vol*
Richard (Michel)	*La République compassionnelle*
Riès (Philippe)	*L'Europe malade de la démocratie*
Sfeir (Antoine)	*Vers l'Orient compliqué*
Spitz (Bernard)	*Le Papy-krach*
Tenzer (Nicolas)	*Quand la France disparaît du monde*
Toranian (Valérie)	*Pour en finir avec la femme*
Tuquoi (Jean-Pierre)	*Paris-Alger*
Vittori (Jean-Marc)	*L'effet sablier*

Composé par Nord Compo Multimédia
7, rue de Fives, 59650 Villeneuve-d'Ascq

Cet ouvrage a été imprimé par
Dupli-Print à Domont (95)
pour le compte des Éditions Grasset
en mai 2017

Grasset s'engage pour
l'environnement en réduisant
l'empreinte carbone de ses livres.
Celle de cet exemplaire est de :
500 g éq. CO_2
Rendez-vous sur
www.grasset-durable.fr

Première édition, dépôt légal : septembre 2010
Nouveau tirage, dépôt légal : mai 2017
N° d'édition : 19926 – N° d'impression : 2017042338

Imprimé en France